ポストコロナと中国の世界観

——覇道を行く中国に揺れる世界と日本

画像は筆者撮影（一部を除く）

まえがき

新型コロナウイルスは今なお世界で蔓延し続けている。このコロナ禍で、世界の人々がほぼ同時に同じ苦しみを体験した。不謹慎ではあるが、中国が遂げる変化を冷静に分析する上で、日頃見えなかったものを見せてくれたこのコロナ禍は、またとない機会だと筆者は受け止めている。

コロナ禍で世界の人々が青ざめたのは、感染への恐怖もさることながら、先鋭化した米中対立だった。とはいえ、日本に伝わってきたのはごく一部の断片的な情報に過ぎず、私たちの理解は不十分なものにとどまっている。米国による「中国は脅威だ」とする主張はさんざん報道されているが、一歩踏み込んだ議論は空白のままだ。私たち日本人の知らないところで、中国や中国人は何を思考し、何を求めてきたのだろうか——。その空白を埋め、日本の読者の皆さんに「転換期にある中国」をお伝えすることが、本書の目的である。

コロナは、中国の台頭というパラダイムの転換の中で蔓延した。まさに歴史の大きな転換点となるコロナ禍から未来を展望するとき、カギとなるのは「中国側のロジック」を知ることではないだろうか。本書では、コロナ禍が襲った中国と中米関係、そこから見えてきた「民主・自由とは何か」という疑問、中国の国民の選択や国家に求めるものの違いをあぶり出し、西側とは異なる価値観のもとで世界制覇に挑む中国の現状を取り上げた。

早晩、中国はＧＤＰでも米国を抜いて世界一の大国になるだろう。その中国が国際社会において発言権を強めることは間違いない。こうした中国の台頭に一抹の不安があるとすれば、「透明性もない、ルールも順守しない国が世界に台頭して大丈夫なのだろうか」という点である。中国は依然として「西側の価値観」を受け入れようとはしないが、過去の中国共産党の目標も変化を見せる中で、そこに民主や自由はあるのだろうか、いったいどういう価値観を選択するのだろうか、といった点でもある。本書では、中国のその先の未来について、筆者なりの体験に基づいたローアングルな具体事例から展望してみた。

私たちが見るべき対象である中国は、人口も多く面積も大きい。「群盲象を評す」といわれるが、一面だけ切り取って「これが中国だ」とはとても言いづらい。また、そうあってはならないし、さまざまな角度からの多面的なものの見方があるべきだと思っている。一人の力でそれを追うのは限界があるが、現代中国の変化を見る議論のひとつとして、また、コロナ禍のひとつの記録として、本書を受け入れていただければ幸いだと思う。参考資料はほとんどが中国語と英語のオリジナル媒体に求め、読者の皆さんへの「産地直送」を意識した。内容の一部はＷＥＢ上で公開した「ダイヤモンドオンライン」「JBpress」「日刊ゲンダイ」などの拙筆より引用があることをお断りしておく。

ジャーナリスト／アジア・ビズ・フォーラム主宰　姫田小夏

上海では小区に入る際に登録が要求される（施潔民氏撮影）

第1部

新型コロナウイルスが直撃した中国

第1章　中国の体制問題と国民の心境の変化

1-1　中国の国民は中国式封鎖措置を受け入れた

コロナが直撃した中国

いまなお世界で感染拡大が続く新型コロナウイルスだが、いち早くコロナ禍から抜け出た中国の「拡大防止策」はあまりに有名だ。中国ではわずか一桁の感染でも陽性者が現れれば、街は即座に封鎖される。瞬く間に人の移動制限が行われ、市民を対象にしたＰＣＲ検査が行われる。こうした封じ込めは、日本人からすれば強烈すぎる印象だが、中国ではすでに習慣化しており、また国民の安心にもつながっている。上海に住む筆者の友人は、普通に外食を楽しんでいるし、国内旅行も計画しているように、感染拡大の懸念が薄れた都市では、人々はマスクを外し普通の日常を楽しんでいる。

その封じ込め策については「中国だからできたんだ」とする声は強い。確かに中国の独裁体制を以て強硬な封じ込めを実現したともいえる。けれども、「独裁の中国」で一括りにできるほど、話はそんなに単純ではない。日本で伝えられる中国の報道はごく一面に過ぎず、また、私たちは体制の違いにばかり目を奪われてしまうため、さらに一歩突っ込んだアプローチを遠ざけてしまっているが、このコロナ禍には「中国の本質的な部分」への理解に結び付くような多くの示唆が潜在している。人類が同じ経験をすることは歴史上そうあることではない。中国の経験を身近に感じ、またそこへの思考をめぐらせるには、この機会を逃せばほかにはないと筆者は考えている。

中国の人々は何を経験し、何を考えたのか、そしてポストコロナの中国はどこに向かおうとしているのだろうか。ここで「コロナが直撃した中国」をもう一度読者のみなさんと振り返ってみたい。ウイルスの発生源についての議論は、世界の専門家による検証を待つことにし、筆者はコロナ禍という同じ経験を余儀なくされた中国の人々に目を向けた。

中国では２０２０年4月8日、新型コロナウイルスをめぐる戦いに一旦の区切りがついた。76日間、苦しい闘いを強いられた湖北省武漢市は都市封鎖が解除され平和が戻ったわけだが、ワクチンも特効薬もない中でのウイルス封じ込めが〝成功〟したとすれば、その理由は、「都市封鎖」と「隔離措置」に尽きる。

1月23日午前10時、春節をひかえた武漢市は突如「都市封鎖」された。航路、鉄路を含む地下鉄、長距離バスなどの都市交通は運行が停止された。空港やターミナル駅も閉鎖され、大混乱に陥る駅や高速道路の入口の様子は日本でも大きく報道された。国務院は今回の新型コロナウイルスを「突発性公共衛生事件」と認定し、最高レベルに相当する「一級警戒」を全国30の省に発令、住民の移動は大きく制限された。

中国ではSARS（重症急性呼吸器症候群、2003年）の教訓から2006年に『国家突発公共事態総合緊急対応策』が制定されており、疫病が蔓延した場合に行政側はどう対応すべきかが、マニュアル化されている。地方政府はこのマニュアルに基づいて封鎖措置を採ることが可能であり、不特定多数が集まる集会やイベント、あるいは工場操業や営業活動、学校の授業に対して停止措置を講じることができる。

監禁に近い極端な隔離措置も

中国では都市封鎖によって、省や市区を跨いだ行政区間の出入りが禁止されたのみならず、自宅からの外出も厳重に管理されるようになった。もともと監視国家という体質を持つ中国では、複数の集合住宅をひとくくりにした「小区」という単位で住民管理が行われているが、コロナ禍の「小区」の中では、私たちの想像を絶するような通行規制が行われた。

武漢市は2月11日に通達を出し、市内の小区を封鎖した。住民や車が出入りできるゲートを1カ所に集中させ、検温はもちろんのこと、通行証の携帯は必須となった。2月15日からは3日に1回という外出規制がかけられるようになった。場所によっては「開けゴマ」のような、住人にしかわからない「本日の合言葉」で本人確認をする小区も出現した。

武漢市在住のソーシャルワーカー・郭晶さんの執筆による『武漢封城日記』には、小区内の住民が逃げ出さないように壁の修理が行われたことが綴られているが、実際に外出できないようにする物理的手段はあちこちで講じられた。

恐ろしいのは、住民管理が個別の世帯にまで及んだことだ。湖北省以外でも感染拡大が認められる地域では、住人を外に出さないように担当係員が数人で戸別訪問し、家の扉に「封印」の紙を貼って回って表に出さない措置を講じるケースがあった。

係員が扉を強くノックし、住人を呼び出すとこう説明する。「心配しなくてもいい、野菜も運んであげるし、ゴミも回収してあげるから」。だが、その後に続くのは「あなたは義務として14日間家の中でじっとしていなければなりません。もし守らなければ（別の場所で）集中隔離しますよ」という強制的な言葉だった。感染のピーク時には外出禁止措置とともに、食料は配達制になり、ゴミも各戸の玄関まで回収員が来るようになった。

住人が自宅内で籠城生活を守っていた証拠となるのが戸口の外側に斜めに貼りつけた「封印」の紙だ。もしも住人が外に出るようなことがあれば、扉に貼った紙がビリッと破れ、外出がばれてしまう。

紙が破れるぐらいならまだいい方だ。扉の外から施錠されるケースもあった。その一部始終を撮影した動画がＳＮＳで拡散したが、そこには住人が必死で食い下がるその会話が生々しく映し出されていた。「火事になったらどうするの！」「人身の自由はどうなるのか！」という夫婦の抵抗も虚しい。

筆者のもとには「各住宅の1階の出入り口を溶接する作業現場」をとらえた動画が回ってきた。中国人の友人に状況説明を求めると「こうやって人の出入りが封じられている」と言う。やっているのは住民の監禁に他ならない。

住民は食事にもだいぶ苦労したようだ。「配達で届けられる肉類が鶏肉だけだ！」と初老の女性が配達員に怒りを爆発させたこともあった。以下は浙江省慈恵市の在住者の話だが、まるで戦時中の疎開に似た状況を想起させる。

「2月の初めには、外出は各世帯2日に1回、それも1人に制限されました。車で外出もできなくなり、店舗営業も工場稼働もできなくなりました。私は農村に避難しましたが、都心部では社区に野菜が配給されてもすぐになくなり、食べ物にはだいぶ不自由したようです」

前述した『武漢封城日記』には、２月半ばにさしかかる頃には、スーパーではすでに肉類が売り場から消えていたことが記されている。

唯物思想ゆえの死の恐怖が外出自粛させた？

中国の〝力ずくの封鎖措置〟は結果として有効だった。新型コロナウイルスの感染拡大に伴い、日本でも「出勤７割減」「人との接触８割減」がさかんに叫ばれたが、〝武漢モデル〟のすごさは、人との接触を「ほぼ１００％」遮断したことにある。

ウイルスの拡散が最も深刻だった武漢市でも、当初は外出の自由があった。しかし、店舗はほとんどシャッターを下ろし、町からは人の姿が消えた。これを可能にした理由の１つは、春節を前にしての「食料備蓄」だった。ロックダウンされた1月23日の翌24日は除夕（旧暦の大晦日）であり、人々は春節の前に買い込んだ食料で1週間は過ごせるほどの準備があった。逆にいえば、誰もが家庭に回帰する時期だったといえるだろう。

「死んでしまえば全財産を失う」という中国人独特の「生死観」も自粛につながった。日本在住歴20余年、日本に帰化した上海生まれの宋さん（仮名、50代）は次のように語る。

「ウイルス蔓延と聞いて、ほとんどの中国人はパニック状態に陥りました。特に１９６０

年代に若者だった世代、つまり今でいう70～80歳の年齢層がひどかったですね。彼らは神の存在を認めない共産党思想の『唯物思想』が浸透する世代であり、食べ物や家、お金など目に見えるものしか信じていません。死んでしまえば、何十年もかけて手に入れてきた財産を失うことにつながるので、余計に感染死を恐れたのです」

厳しい措置があろうとなかろうと、結果として、彼らは自ら進んで外には出なかったというわけである。

同じコロナ禍に直面しながらも、中国人の目には日本人がパニックにはならず、「落ち着いている」ように映っていた。中国の友人は「日本は自然災害だからなのでしょう、日本人は堂々と死を受け入れる心の準備があるように見えます」と話していた。

一方、武漢以外の都市で感染が拡大しなかったのはなぜだろう。沿海部の大都市である上海では、春節明けと同時に営業を再開した店舗もポツポツとあった。外出も「自粛」にとどまったが、出歩く人がほとんどいなかったのは、「外出の手続きがとても面倒だったから」（上海在住の自営業者）だという。自分の行動履歴を隠せば厳しく罰せられることもあり、その煩わしさから誰もが外出には慎重になった。

数字は信じなかったが政府は信じた

ビジネスや投資には極めて大胆だが、健康を脅かすウイルスにはめっぽうデリケート――コロナ禍で浮き彫りになったのは、そんな中国人の一面である。

コロナ禍も明けた行楽日和の5月、上海在住の30代の陳さん夫妻（仮名）は「マスクをしていても、どこにウイルスが潜んでいるかわからない」と外出にはなかなか積極的になれなかった。陳さん夫妻はいまだに「外出から戻れば衣類はそのまま洗濯機に放り込み、自分も浴室に直行する」という警戒ぶりだった。

それは上海の多くの人に共通していて、心のどこかで「新型コロナは本当に収束したのか」という気持ちがあるためだった。政府の統計数字（上海市のコロナ死亡者数は5月12日時点でわずか7人）に疑いを持っていることの裏返しでもある。

そもそも中国人は、あらゆることに対して警戒心を持っている。テレビや新聞、インターネットのニュースでも、まずその情報が本当かどうかを疑ってかかる。もとより中国共産党や政府組織に対しても不信感を持っている。政府発表のGDP成長率など端から信じていない。その代わりに友人を介して情報を集め、裏情報で真偽を判断する。中国人がネットワークを大切にするのはそのためだ。

そんな中国の人々だが、コロナ禍を通して1つの変化を見せた。それは、中国という「国家」に改めて自信を持ったということである。

「14億の中国人は全員が全員、すなおにルールに従うとは限りません。他の国からすれば相当な強制措置だったかもしれませんが、中国ではこの厳しさこそが必要で、ほとんどの国民がこれを支持しました。普段から激しく政府批判を繰り返している知識人といわれる教養ある人々でさえ、この都市封鎖を支持したのです」（前出の宋さん）

人々の生活や仕事を犠牲にしてミッションを完成させた中国共産党のコロナ対策は、海外では評判が悪い。だが、結果としてこの強制措置はすぐに効果を出し、ウイルス蔓延を短期的に収束させた。中国の人々が死ぬほどウイルス感染を恐れているのだとしたら、政府による有無を言わさない強烈なトップダウンこそが、合理的な思考の国民に最もフィットするやり方だったのだといえるだろう。

《自由》
为人进出的门紧锁着;
想死的门敞开着;
有个病毒在外高喊着:
“出来玩吧，给你自由!”
但我深深地知道——
出去了，就死定了。
人的生命只有一次，
算球了，
再关十几天就自由了!
小区物业 宣

「外に出れば死んでしまう。十数日閉じこもっていれば自由になる」と訴える小区ゲートの看板（中国のＳＮＳより）

1-2　デマこそ真実、政府は国民の怒りを恐れた

大混乱した初期の医療現場

感染拡大のピークを脱した中国では、当時の状況を物語るリアルな記事やコメントが、日を追うごとにインターネット上からどんどん消えてなくなった。官製の美談ばかりが残る中、なんとか当時を物語る声を拾うことはできないかと、筆者はパソコンと格闘していた。そしてようやくその片鱗をつかむことができた。

中国のインターネット上でネット民が投げかけた「ポストコロナで武漢を離れる人はいるのか」という問いには、武漢に対する市民の率直な思いが表れていた。ウィットリリさん（ハンドルネーム）の書き込みは、武漢を離れるかどうかの回答にはなっていなかったが、コロナとの闘いにおける武漢市の対応に失望を強く示すものだった。

「武漢では惨たらしい死に方をした人が多かった。医療資源が枯渇し、奪い合いとなる中で、誰が入院できたのか」

日本のテレビ番組も連日報じていたように、2020年1月の武漢市の病院には患者が殺到した。院内に増え続ける患者には医療スタッフもお手上げで、助けを求めて駆けつけた病院こそが阿鼻叫喚の地獄と化していた。武漢市の医療現場はマンパワー不足、医療物資不足、ベッド不足で当初は大混乱だった。

症状が軽い患者は自宅療養となったが、自宅もまた地獄だった。現地の事情に詳しい中国人によれば、「家族間の感染が進み、一家全員が死んでしまうケースも少なくなかった」という。

筆者の携帯電話にも、回収車を待つ多くの遺体を撮影した動画が着信した。投稿者は、携帯電話を片手にバイクで1~2キロの道のりを走行しながら撮影したようだが、映り込んでいたのは、道路に面した住宅の1階部分にずらりと並ぶ白い布で包まれた遺体だった。「1日でこんなに多くの人が亡くなるのか」と声もなかった。遺体を棺桶にも入れず、冷たい地面の上に放置するのも信じられないことだった。しかし、増え続ける死亡者の数にもはやこうするしかなかったことも理解できる。ウィットリリさんがコメントするように、救済の対象とはならず自宅待機を強いられた家族も多かった。

ツイッターで送られてきた別の動画に映し出されていたのは、病院の床一面に無秩序に置かれた、オレンジ色の包装材で包まれた遺体だった。安置する場所がなくなり、待合室のソファにも複数の遺体が横たわっている。衝撃的だったのは、多くの遺体を視界に収めながらも、平然とおしゃべりをするおばさんたちがいたということだ。市民の感覚は麻痺し、遺体はすでに見慣れた日常と化してしまっているようだった。

このとき、武漢の人々は底知れぬ絶望を体験していた。どんなに多額の資産を築いたところで、死に直面した人間は無力なのだということだ。

ウイルス爆発の根源に共産党体制の歪みが

混乱のピークを過ぎると、武漢市の医療関係者の声が聞こえてくるようになった。医療関係者を取材した記事もインターネット上に出てきた。

以下は人民日報系のメディア「環球時報」に掲載された文章の要約だが、筆者が内容をメモに取った後、再びこのURLをクリックすると、記事は当局によって削除されていた。この間、当局によって削除される記事は少なくなかった。

筆者のノートには「2019年、武漢」と記録があるので、この手記は2019年末の医療現場の様子を書いたものだろうが、具体的な時間やどこの病院でのことかはわからない。それでも、筆者はこの手記にこそ真実があると思えてならない（だからこそ当局はこれをもみ消した）。そこにはこう書かれている。

「病例が見つかると、病院の院長はこれを上（この場合は区）に報告するのを許さなかった。同時に（院内が）パニックになるのを恐れたため、医師はマスクをすることが許されなかった。感染者も隔離することはなかった。結果として医師が感染し、病院に診察に来た人も感染した。このようにウイルスが爆発して初めて、病院は上（の組織）に報告した。最初は2人の患者だったことを思えば、その時点で抑え込みができたはず。（それができなかったため）多くの医師が感染して亡くなった。病人を看るときも『マスクはするな、防護服を着るな』といわれた。（結果として）武漢の火葬場における2月の処理数は2万体に上った。中国の死亡者数は偽の数字。中国の官僚は偽の報告書を作るのが好きだ。どの土地でも新たな感染者を出せば、地方政府の役人は免職になる。そのため、新たな感染者数が出ても報告はしないのだ」

感染の事実を隠そうとしたこと、中国の統計数字が現実のものとはかけ離れていること、それこそが中国の共産党体制の在り方だということだ。中国の感染症専門家が武漢入りし、「人から人への感染がある」と明らかにしたのは1月20日になってからのことだった。初めての患者が確認されたのは２０１９年12月8日（「サウスチャイナモーニングポスト」によれば、それより早い11月17日に感染例があるという）、すでに6週間のロスが生じている。中国の初動の遅れがウイルスの拡大をもたらしたことは間違いない。この間の隠ぺいが、５００万人の武漢市民の海外渡航を許し、世界にウイルスを拡散させてしまったのである。

「責任問題ではなく体制問題」

文章中に「上に報告」という言葉が出てくるが、中国では医療機関でウイルスなどの緊急事態が発生すると、情報は市の疾病コントロール予防センターに伝えられ（場合によっては行政単位の区）、そこから市に、市から中央政府に、そこから中央の専門部門を経て最後に国務院に伝わるというルートで上層部に伝えられる。だが、中国ではしょっちゅう目詰まりを起こす。武漢市の医療機関は、現場で起こっている深刻な状況をなかなか行政に伝えようとしなかった。

筆者は２０２０年1月25日、内部をよく知る人物が投稿したと思われる、前年12月８日から1月23日の封鎖までの武漢市当局の動きをまとめた記録をインターネット上で入手した。これは決してオフィシャルな報道ではないが、筆者自身、公式報道だけに依存することはできないと痛感し、「作者不明」の投稿こそが真実に近いものだと信じるようになっていた。これによると、武漢市疾病コントロール予防センターが市内の中西結合病院から３人の原因不明の肺炎の報告を受けたのは12月27日のことだった。初めて原因不明の肺炎と診断された患者を入院させたのが12月８日のことだったから、病院内の隠ぺいは19日間も続いていたことになる。

2月、インターネット上で復旦大学中国研究院の研究員は、初動の遅れについて「責任問題ではなく体制問題」だと指摘し、次のように述べた。

「中央政府は地方の分権を進めたが、レイヤー（層）があまりに厚すぎた。地震、災害、流行病が起こればこうした縦割りは通用せず、むしろ大きな損失を生む。党だろうと行政だろうと医療機関からの直接の通報を遮る権利はない。中央政府は、地方の病院が直接中央にウイルス情報を通報できるよう改革してほしい」

一般市民の間で「今なお、中国の地方政府は中央政府の〝飼い犬〟にも等しい」と厳しく批判する声もある。人事権を握られているだけに、地方は中央の顔色を伺ってばかりだ、というのは中国政治の定説である。不祥事（この場合はウイルスの発生）を起こした地方は中央からのお咎めを受ける、それを嫌がるがための隠ぺい工作は、中央と地方の上下関係に常に潜在する構造問題であり続けている。

当初、武漢華南海鮮卸売市場を訪れた患者から多く陽性反応が見られた。そこで、武漢市の協和病院の主任医師がグループチャットで後輩の医師に「華南海鮮市場に行かないように。そこで多くの人が原因不明の肺炎（ＳＡＲＳに類似）に罹っている。今、うちの病院もこの市場を訪れたことのある患者を入院させた」と発信した。この発信は12月30日20時43分だったが、同じ日、この医師以外にも李文亮医師が同様の発信を行った。

感染源は華南海鮮市場で売られている野生動物（コウモリ）ではないかと疑われたが、1月1日に市場は封鎖されてしまう。その後、当局によって内部の店舗を洗浄されてしまったため、果たしてそこで本当にコウモリが売られていたのかを示す証拠がなくなってしまった。これもまたもみ消しの一端を物語っている。その後のウイルスの発生については、日頃からコロナウイルスを研究している武漢ウイルス研究所から漏洩したのではないかという疑惑も上がった。

謎のウイルスが指定機関に報告されたのは12月27日だが、1月20日になってようやくこのウイルスが「人から人に感染する新型肺炎」だと発表され、習近平国家主席が「全力で新型肺炎を抑え込む」という重要指示を出した。こうした緊張の最中にありながらも、湖北省の緊急管理部門は、春節の伝統行事である「万家宴」を開催し、4万世帯が料理を持ち合い、歌や踊りの大宴会に興じていた。

その3日後の23日に武漢は全面封鎖された。この間、実に28日を費やしている。病院内での隠ぺい行為、それを上層部に報告するためのプロセスの長さ――中国共産党の体質がウイルス蔓延を引き起こしたと言っても過言ではない。

事実の隠ぺいは国民が許さなかった

新型肺炎をめぐっては、中国のインターネット上でさまざまな情報が流れ、当局がデマ潰しに躍起になっていたことは前段でも触れた。もとより言論統制を強める習近平政権だが、今回はこの統制が裏目に出た。時間の経過とともに、「消された情報こそが真実だった」というケースが続出し、結果として社会を混乱に陥れた。

1月1日、武漢市で8人の男性がデマを流布した疑いで拘束されたニュースは日本でも報道された。8人とは前述した武漢の医師たちで、12月30日に「SARSが出現した」とグループチャットでつぶやくと、誰かがこれを外部の友人に転送し、瞬く間に拡散した。当局はこの影響を重く見て、2日後にこの8人を公安に呼び出し訓戒処分にした。同日、武漢市衛生当局も初めての情報公開を行ったが、「原因不明のウイルスによる肺炎患者が増えている」とするのみだった。だがその後、ウイルスは「SARSに似ている」ことも公表されるようになった。

警告を発した医師らが受けた訓戒処分は、「次につかまるのは自分かもしれない」と世間を震え上がらせた。中国で疫病の発生などの情報を流せば、「治安管理処罰法」に違反したとされ、最悪の場合7年の懲役となるため、1月に入ってから20日間、SNSの発信は鎮まり返ったのである。だが、これまでの隠ぺいに対する国民の不満はいよいよ無視できなくなった。1月20日、重要演説を行った習国家主席は「情報公開を支持する」と表明した。

その後、新型肺炎をめぐる言論統制の空気が一変し、ネット民も8人の医師を「勇士」と呼び積極的に支持するようになった。2月7日、このうちひとりの医師（李文亮氏）が新型肺炎で死亡すると、中国のSNSは大騒ぎとなった。誰もが「当局により消された真実こそが命を救う」ことを痛感したのだ。

それでも、中国では瞬時にして削除される記事やコメントは絶えなかった。「魔女小稀」というハンドルネームの人物により1月24日に発信された内容は、「武漢では、どの病院も患者を受け入れない」という悲惨な実態だったが、当局によりデマの意味の「假（ニセ）」という烙印が押されてしまう。しかし、当時の武漢市の病院がこうした状況にあることは、もはや周知の事実だ。隠ぺい体質の中国では、当局が「これはデマだ」として取り締まる発信こそが真実であることの方が多い。

警告を発して訓戒処分を受けた李文亮医師については、死亡後わずかひと月で名誉回復が行われ、3月5日、国家により「烈士」の最高栄誉を受けた。これは、国民の言論を厳しく抑え込みながらも、ひとたび国民が一致団結したときには国が譲歩をせざるを得ないという一例を示すこととなった。

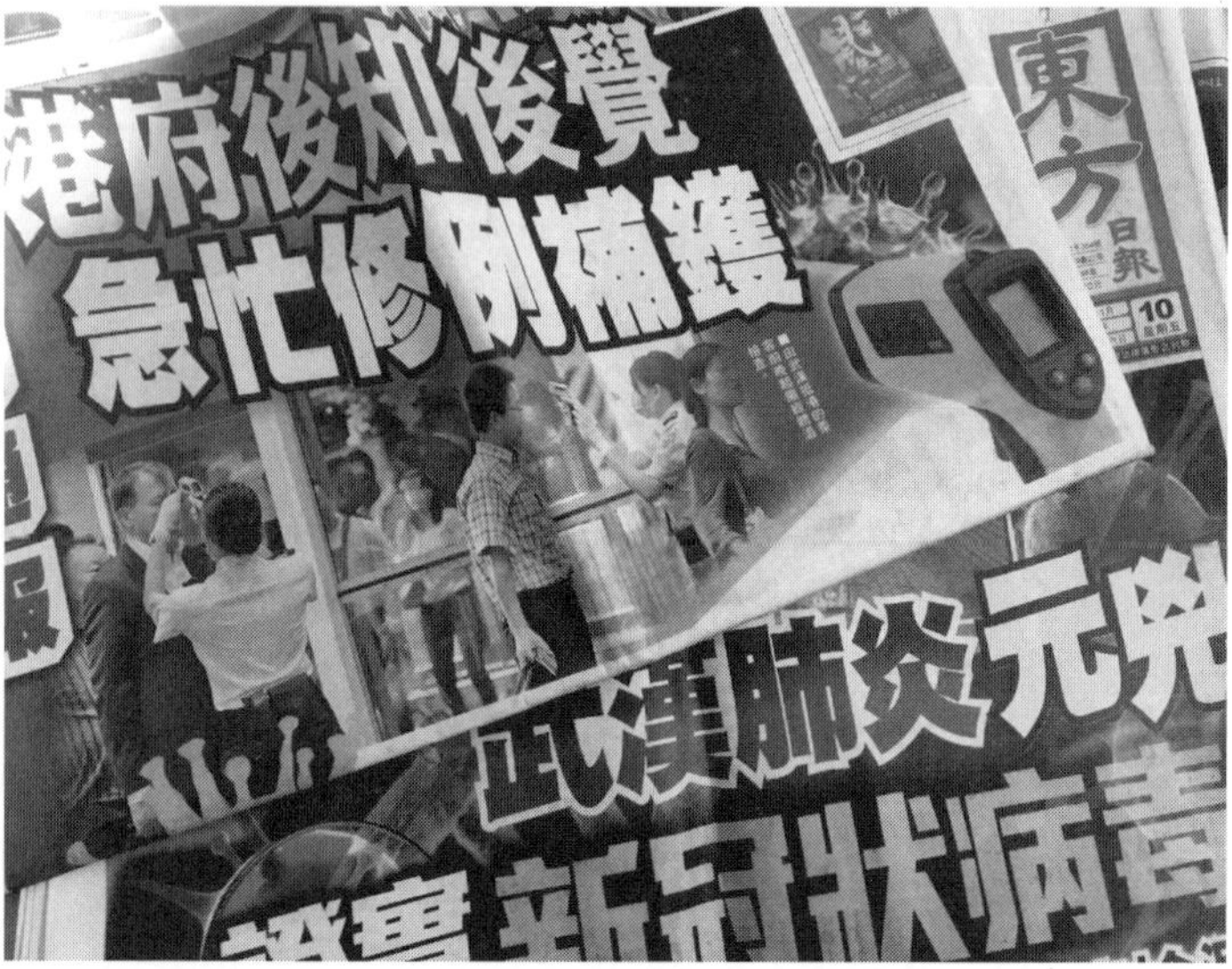

武漢封鎖前の香港紙。新型コロナウイルスの拡大を警戒していた

1-3　小役人たちによる庶民いじめと中国の精鋭主義

極端な解釈を生み過激になった隔離政策

新型コロナが蔓延する最中、中国のSNSにはさまざまな動画、画像、コメントが投稿された。2003年のSARS禍と明らかに違うのは、現場の「見たまま聞いたまま」が瞬時に拡散されるという点だ。「外出禁止令の最中の賭け麻雀」は中国各地から実録がアップロードされた。見どころはゲームに興じるプレーヤーの打ち手ではなく、非常事態下の取り締まりの一部始終である。

どこかの田舎町に、公安の車が横づけにされた。中から出てきた制服の男が、雀卓を囲んでいる村民におもむろに近づいていく。手にはなぜかナタを持っている。公安は「帰れ、帰れ」と村民を怒鳴って蹴散らし、雀卓を隠そうとした女性を追いかけ、引きずり出した雀卓にナタを振り下ろして破壊した。動画の大半は、当局が雀卓を木っ端微塵にするのがお決まりのオチとなっている。やってはならないとされている麻雀をやってしまったがために、罰として雀卓を担ぎ、数キロにわたる距離を歩かされた4人組もいる。

中国では「乱暴な隔離政策」が問題視されていた。「民家侵入、麻雀阻止事件」は中国のネット民の間で物議を醸した。それは、家族3人で麻雀をやっていると、数人の当直の警備員と数人の男たちがいきなり踏み込んでくる、という動画だった。

「お前ら何をやっているのか」と喧嘩腰で一家団らんに割って入ると、住民も激昂して立ち上がり、警備員に平手打ちをくらわす。そして踏み込んできた連中は「待ってました」とばかりに、家族を取り囲んで取っ組み合いを繰り広げる。日頃のストレスが溜まっている様子が伺える。高価な電動雀卓は叩き壊され、すっかり使い物にならなくなってしまった。

「家族で麻雀をやっている」と小区の係員（集合住宅の管理職員）に通報したのは隣家の住人だった。「感染予防のためには、家族とて一緒にメシは食べてはならぬ。隣家がやっているのは違反行為だ」と信じ込んでいた、という。そんな誤った認識も、防疫対策をエスカレートさせた。中国の隔離政策は極端に解釈され、どんどん過激になった。

日本の戦前・戦中にも、「向こう三軒両隣」という隣組制度があったが、中国もこれと同じような形で互いの行動や思想を監視し、社会の治安を維持した時代があった。愛知大学名誉教授の加々美光行氏によると「1949年の建国前から存在したこの監視体制は、国家予算の支出を伴わない、最も原始的な監視スタイルだった」という。お隣さん同士が密告しあうこの原始的な監視スタイルはウイルス拡大防止策にも利用されたというわけだ。

コロナが生んだ壮絶な人間ドラマ

コロナ禍の中国で人々は壮絶な闘いを強いられた。

春節前の大晦日に当たる2020年1月24日、病棟で治療に当たる医師が、電話に向かってヒステリックにわめき散らしている動画が送られてきた。語調は強いがまるで言葉になっていない。かろうじて聞き取れるのは「家に帰してくれ、もうやってられない」。電話の相手は上司に当たる人物かもしれない。不眠不休の勤務続きで、精神錯乱に陥る医師を同僚が動画に収めたようだ。

エレベーターに乗っている熟年男性が何度も床に倒れ込む。エレベーターを降りても足取りは重く、何度も足を絡ませて転倒する。動画の解説によれば、連日連夜、寝る間もなく治療に挑んだ医師らしい。

1月25日にはこんなコメントが拡散された。「シャーッという音がしたと思ったら、医師の防護服が引き裂かれていた」。人の生死を分ける防護服だが、お前も死んで俺も死ぬ――と感染者の家族も半狂乱になって医師に詰め寄ったのだ。元気で生きている医療スタッフらが妬ましかったのか、感染者が医師のマスクをはぎとって痰を吐きかけたという話もある。

突然の封鎖措置により、高速道路では車が立ち往生するハプニングもあった。1月7日に湖北省を出発した長距離トラックが、自宅のある湖北省に戻れなくなったのである。ドライバーの肖紅兵さん（50歳）は、なんと帰路1週間以上も高速道路をひたすら走り続けていたという。

肖さんが発見されたのは1月29日、湖北省に隣接する陝西省漢中市の高速道路上だった。肖さんはここから寧夏回族自治区と福建省を結ぶ福銀高速道路に乗って、一路自宅を目指していた。漢中から湖北省の武漢までの距離は８４８キロ。さらに武漢から肖さんの自宅のある荊州までは２２８キロ。実に東京から北九州市・門司港までの距離に相当する。

ところが、この高速が封鎖された。1月23日に武漢が封鎖されると、高速道路でも瞬く間に交通規制が敷かれたのだ。湖北省で新型コロナウイルスによる感染が拡大していることを肖さんが知ったのは、すでに春節に入った1月26日のことだった。あちこちでインターチェンジが封鎖され、肖さんは一般道に降りるに降りられない事態となった。

湖北ナンバーの車両は敬遠される対象だ。肖さんのもとには誰も近づきたがらず、サービスエリアにさえも停車させてもらえない始末だった。1月29日、ついに力尽き果て、肖さんは緊急車両用のレーンに車を停止させた。そこに人民警察が取り締まりにやってきて「同志よ、どこへ行くんだ」と声をかける。

「もう疲れた。本当に疲れた。俺は1週間も走り続けている。おカネも使い切ってしまって、ろくな物を食べていない。どこかで車を止めて、ゆっくり寝たい。もうそれだけでいい……」

トラックに積まれているのは、カップラーメンと牛乳などのわずかな食糧だった。齢《よわい》50の肖さんの顔には深くシワが刻まれ、日ごろの苦労がにじみ出る。涙ながらに語る肖さんの孤独な走行と想像もしていなかった顛末に、この人民警察は心を打たれた。

「ウイルスの蔓延はいかんともしがたい。だが、こんな状況で唯一できるのは助け合いだ」と人民警察が慰めると、肖さんは溢れる涙を袖でぬぐった。その後、人民警察は車と肖さんを消毒場に誘導し、肖さんを休ませる手続きをとった。

都市封鎖という類まれな強硬措置に国民は面食らったが、封鎖が生んだ人間ドラマは数知れない。

精神状態も限界に達した

ショッピングセンターで「マスクをしていない人は入れません」と声をかけられた若い女性が、逆ギレして従業員に蹴りを入れ、半狂乱になって取っ組み合いを始める。飲酒運転をして帰宅中の共産党員が、集合住宅のゲートに立つ警備員に進入を阻止され逆上し、警備員を殴打する――。非常事態宣言下の中国では、あちこちで暴力沙汰が多発した。

「国民性だ」と一笑に付されてしまいがちだが、蔓延する新型肺炎への恐怖の中、「マスク着用は必須だ」という強制措置によって、多くの国民がパニックに陥った。

コロナ禍の混乱が収まり、ようやく外出ができるようになった春の日、ある中国人が深圳の国道沿いで目撃したのは、年も若い浮浪少年だった。この浮浪少年は何も持たなかったが、真っ黒に汚れたマスクを外すことなく着け続けていた。この「役にも立たない黒いマスク」は、「マスクなき者は決して社会に受け入れてはもらえない」というその厳しい措置を象徴していた。

思わず目をそむけたくなる衝撃のツイッター動画も飛び交った。それは、住民が見守る中、止める声も虚しく男性が高層住宅から飛び降り自殺した瞬間の動画や、高層住宅の屋上で首を吊った男性の動画だ。首を吊った理由は、「新型コロナも陰性となりようやく退院した男性が家に戻ったら、家族が全員死んでいた」というものだった。自宅隔離で命を落とした武漢人は多いという。

武漢市のある家の窓は昨年からずっと開けっ放しで、エンジ色のカーテンがいつも空を泳いでいる。住人は戻らぬ人となったのか――。そんな悲しい話を綴るブログもある。

「こんな状況で立ち退けというのか！」と街中で絶叫する市民もいた。近年、中国の地方都市では街の再開発工事が盛んであり、某地区でも古い店舗の立ち退きが進んでいた。そこに降りかかったのが新型肺炎の災難だが、関係者は再開発の手を緩めようとはしない。自由な移動が妨げられているこの非常事態の中、一体彼らはどこに移転しろというのか。

「一刀両断」は14億の人民を統治するための常套手段だが、その強制措置のもとで、人民はどんどん追い詰められ、精神状態も限界に達していた。

小役人の空威張り

街路樹に老人が縄を括りつけ首吊り自殺した。遠目だがそれが人間だというのが見て取れる画像が出回った。

老人の自殺については、中国のインターネット上でも物議を醸した。当局はある日、マスクもせずにフラフラ出歩いている老人を拘束した。この自治体では「マスクを着用しない外出は派出所で5日間拘留され、毎日100回『外出時はマスクをします』と書かせる措置がある」といわれ、住民の間では「マスクを買えなかった老人は、これに抗議して自殺した」と伝えられた。だが、後に当局は「これはデマ」だと否定した。

「この老人は、もともと集合住宅の人の出入りの管理を不服とし、係員を殴ったことから、その違法行為について処罰を受けていた」（当局）というのが正しい情報なのだという。

一方、コロナ禍の中国では〝小役人の空威張り〟が横行していた。〝地方〟に与えられた封鎖措置という権限を振りかざし、公安、警察、町内役員、警備員らが猛烈に威張り始めたのだ。

中国の華南地区で、橋を渡って対岸に行こうとする壮年女性の通行が阻止された。橋の真ん中で複数名の村の係員たちが〝通せんぼ〟をしたのだ。口論は広東語だが「対岸に行かせろ」「行かせない」と争っていることは想像がつく。すると次の瞬間、怒り心頭に発したこの女性は、橋の上から真冬の川にドボンと飛び込んでしまったのだ。

川に飛び込むという究極のアクションに出ざるを得ないほど、この女性は頭に来ていたのだといえる。彼女の怒りは他でもない〝小役人の空威張り〟に向けられた。有無を言わさず対岸には行かせないその乱暴な措置に、である。

コロナ封じ込め策のもとで、「住宅監禁事件」「麻雀阻止事件」「暴力沙汰事件」など数々の庶民級の事件が起こったが、その根底にあるのは、〝小役人〟による非合理的で、あまりに行き過ぎた強制措置に対する民衆の怒りだった。マスクが買えず、マスクをしないで外出して拘束されたと噂される老人の自殺についても触れたが、これも中途半端に権力を握った〝小役人たち〟に向けた「憤死」なのかもしれない。

ウイルス蔓延を阻止するという大義名分のもとに繰り広げられている、人に対する非合理的な監視や移動の制限、過度な手段による隔離――。国民が逆ギレする背景には、わけのわからない言いがかりをつけられ、違反者の濡れ衣を着せられることへの憤懣がある。

飲酒運転をして帰宅中の共産党員が、集合住宅のゲートに立つ警備員に進入を阻止され逆上し、警備員を殴打したのは、「受けてきた教育がこれほどまでに違うお前に、なんで指図をされなければならないのか」という不満だ。残念ながら、小役人たちには教育も素養もないという点が共通していて、人々はそのわけのわからない屁理屈に逆上するのだ。それは筆者にも経験がある。上海で住んでいたマンションにも常駐管理人がいたのだが、ゲートを通過するたびにあれこれ難癖をつけられ辟易したものだった。

「選ばれた人々」による政治

ある村では、ウイルス蔓延対策として、地方政府が出した独自ルールを不服として住民が大騒ぎした。住民たちは「中央からの決裁を求めよ」と役人に詰め寄り、ガラスを割るなどの暴挙に出た。

これが物語るのは、中国人民が信じるのはエリートたちが構成する「中央政府」だということだ。中国の中央集権体制は弊害も生むが、地方に権限を与えたところで、あるいは民選にしたところで、無能な小役人たち（あるいは議員たち）の過大解釈と職権の濫用に拍車をかけ、国民は却って混乱に陥るだけなのだ。

中国の隋に始まり、唐代で発展した科挙制度といえば、中国古来の官僚登用のための試験制度だが、読んで字の如く、「（試験）科目による選挙」であり、それは試験と選挙の２つの機能を併せ持っていた。中国では一般市民がリーダーとなることはなく、フィルターをかけて標準に達した「選ばれた賢人」が代表者となる。〝公平な科挙制度〟は今こそないが、こうした「選ばれし人々」による政治（中国ではこれを精鋭主義という）は、現代の中央政府においても脈々と続いている。

「全国人民代表大会」がそれだ。全人代に出席する上限３０００人とする代表らは、中国共産党による指名で選ばれた人々だ。こうした事例は筆者の身近にもあった。以前住んでいた上海では、学校のスポーツ大会でさえ「先生から選ばれた優れた生徒」が競技に参加していた。生徒数が多く、また行事よりも学業重視の風潮が強い環境にあって、このやり方はある意味効率的でもあった。

コロナ禍で雀卓を囲む庶民と摘発に乗り出す当局の“小役人”
（中国のＳＮＳより）

「ある一定基準を満たした者による運営」という価値観は私たち日本人にはなじみがないし、そのやり方は西側が大切にする民主的な価値からは程遠い。しかし、中国にはこうした歴史や伝統があり、むしろこうした価値観が風土に適しているともいえるのだ。

1-4　中国は封じ込め策を着々とモデル化した

医療チーム派遣で劇的に現場が変化

新型コロナウイルスが感染拡大した初期は、中国は確かに大混乱に陥った。しかしその後、武漢市の医療現場は次第に秩序を取り戻した。転換点となったのが、中国の各省からの医療チームの派遣である。中国はあらゆる資源を集中させ、全力で封じ込めに当たった。

「上海の医療チームとの人的交流が、混乱した医療現場を瞬く間に回復させた」と話すのは、亜細亜大学の範雲涛教授だ。

上海市は早くも２０２０年1月25日に武漢市に医療チームを派遣した。その後江蘇省、浙江省、福建省、天津市、河北省、山西省など多くの省や直轄市から、３４６の医療チーム、合計４万２６００人が武漢市を含む湖北省全域に派遣された。女性の医療従事者が感染リスクを減らすため、頭を丸坊主にして〝出陣〟するというニュースは日本のお茶の間にも流れた。

こうした支援モデルは、四川大地震のときにも導入された「対口支援《たいこう》」（カウンターパートのサポートの意味）という地方政府間のパートナーシップ制度である。

対口支援は、災害などからの復興スピードを加速させるために、沿海部の経済発展した都市が内陸部の都市を支援する制度で、災害支援以外にも経済援助、医療援助、教育援助でもこの枠組みが活用されている。たとえば四川大地震の際には、北京市は四川省什邡市、上海市は同省都江堰市というように、20の省や直轄市が四川省内の県や市とパートナーシップを組み、支援に乗り出した。

病床も増え、医療スタッフも増強し、ルール作りもなされ、武漢市の医療現場は秩序を取り戻した。医療スタッフの防護服の着脱プロセスは慎重で、何度も手指を消毒しながら行われた。湖北省の医療現場は汚染区と非汚染区が分離され、徹底した衛生管理マニュアルに基づいて運営される現場に変わった。

武漢市のネット民のひとりが「福建チームが湖北省宜昌市に来たが、現場での段取りは細かく行き渡り、しかもホスピタリティに溢れていた」とコメントした。沿海部の発展した都市からやってきた「対口支援医療チームの水準の高さ」に、湖北省や武漢市の医療スタッフのみならず、市民もまた刮目させられたのだった。

一方で武漢市民は地元政府に対して批判の矛先を向けた。

「コロナ禍を通じてわかったのは、武漢市の管理レベルの低さだ。さまざまな措置を講じてもそれを実行する能力がない」

「武漢市の都市管理について問題があったことは否めない。大雑把で適当だった。コロナ禍を経てそういう部分が露呈してしまった」

「医療チームのみならず、武漢市には経験の蓄積がなく、管理レベルも低い。江蘇省・浙江省一帯から政府関係者が武漢に来て、新しい考え方を持ち込んでくれることが重要だ」

医療チームの派遣がもたらしたのは、崩壊した医療体制の立て直しだけではなかった。彼らの動きを見て、「武漢はこのままでいいのか」と考え直すきっかけにもなった。

「医療方針」のマニュアル化でスピーディな対応

感染拡大もピークが過ぎ、医療現場が落ち着きを取り戻すと、4月15日に最後の医療チームが湖北省を去った。送り出す側も迎え入れる側も、鳴り物入りで医療チームの功績をたたえた。遼寧省大連市では市を挙げてチャーター機の到着を空港で出迎え、医療チームを乗せた何台ものバスの車列を、警察車両が長い車列を作って先導した。

こうしたシーンもまたSNSで中国全土に拡散した。政府によって仕組まれた〝国威発揚〟と受け止める声もあったが、上海市在住の呉さんは素直にこれに感動した。

「医療チームの中には当然、リスクの高い武漢に行きたくないと思う人もいたでしょうが、国民みんなが医療支援を応援しました。彼らが地元に帰還したときには〝五輪メダリスト〟でも迎えるかのようなパレードが行われました。確かに〝演出〟という一面も否めませんが、それ以上に医療チームは自らの危険を顧みずその責任を果たしたのです」

医師や看護師にも家族がある。若い母親にはまだ小さな子どもがいる。そんな家族を振り払い、死を覚悟して戦地に赴く彼らは、まさしく英雄だった。

医療現場が次第に秩序を取り戻したのは「新型コロナウイルス診療方案」(以下、診療方案)の普及もある。中国共産党系メディア「環球時報」によれば、武漢封鎖が行われる8日前の1月15日、国家衛生健康委員会はこの「診療方案」の公開に踏み切っていたという。ここに集約されているのは、病例の発見と報告、識別診断、治療、隔離解除と退院の基準、院内感染の防御などの詳細で、「診療方案」はコロナ禍の医療現場で活用された。

実は中国でも、横浜港に停泊したクルーズ船「ダイヤモンド・プリンセス号」と同様の事案が発生したが、日本のケースとは同じ結末には至らなかった。役立ったのは「診療方案」の共有だった。

武漢の都市封鎖から2日後の1月25日、天津港に感染の疑いがある乗客を乗せたクルーズ船「コスタセレーナ号」が入港した。３７０６人の乗客と１１００人のクルーが乗船しており、「ダイヤモンド・プリンセス号」より１０００人も多い規模である。

天津の関係当局は船内からの通信で、船内に湖北省籍の乗客が１４８人もいること、また発熱の症状が15人に認められることを24日18時にキャッチした。そして、わずか30時間に満たずして「コスタセレーナ号」から４８０６人を下船させることに成功したのである。

天津の現場を取材した新華社の報道からは、２つの大きなポイントが読み取れる。その1つが前述した「診療方案」の存在で、天津港でもこれをもとに緊急対応を可能にしたというのだ。また、対応に当たっては、専門家や医療スタッフ、検疫スタッフによる「応急処置グループ」（「小組《シャオズウ》」）が編成された。中国では横断的なグループを編成し、問題解決に当たることが少なくない。

1月25日10時、20余名から成る「応急処置グループ」が船に乗り込み、17人（最初の15人のうち1人が水疱瘡とわかり除外、その後３人の発熱が確認されこれに加えられた）から検体を採取、併せて残りの乗客についても検査を行った。感染が疑われている17人の検体は12時に検査機関に到着、15時30分にはすべて陰性の判定結果が出た。他方「診療方案」に基づき、乗客全員に対してもしらみつぶしに問診を行った。こうしたプロセスを経て、18時に船を着岸させることを決定し、20時から乗客・乗員すべての下船を開始し、23時には全員が港を離れた。中国は「診療方案」を英文にし、世界にシェアしているという。

ちなみに、「ダイヤモンド・プリンセス号」は2月1日に香港で下船した乗客の感染が確認され、その後、3日に横浜港に停泊するが、乗客乗員の下船は2週間許可されなかった。船内での感染者数は日に日に増加し、最終的に感染者712人、死亡者14人という惨事となってしまった。

SARS禍との比較

2003年のSARS禍で、世界では8096人が感染し774人が死亡、中国では5327人が感染し349人が死亡した。振り返れば2002年11月16日、広東省仏山市で初の感染者が確認されたが、広東省政府が公式に省内感染者と死亡者を発表したのは13週目の2月10日のことだった。

一方、新型コロナウイルスは2019年12月8日に湖北省武漢市で27人が謎のウイルスに感染。毎日のペースで感染者数と死亡者数の公表が始まったのは7週目に入ってからだった。決して褒められることではないが、SARS禍の対応と比べたら、今回の新型肺炎への対応は比較的早かったといえる。

しかしながら、そこには相変わらずの隠ぺい体質が存在した。1月9日に最初の死亡者が出たが、武漢市衛生健康委員会はその後17日に至るまで「新たな感染者はいない」と繰り返してきたのである。国家衛生健康委員会で新型肺炎事件の主管を務める鐘南山氏が「おかしい」と思い、１月20日に武漢入りし、その状況を中央政府に報告すると、すぐさま習近平国家主席が重要指示を出した。

ＳＡＲＳ禍では初の感染者が確認された前年の11月以降、２００３年４月に入ってもなお「北京は安全だ」と情報が隠ぺいされた。その結果、市内で大流行をもたらし、北京市長だった孟学農が辞職し、衛生部部長の張文康は免職となった。上海財経大学公共管理学部の教授のひとりは「ＳＡＲＳ時は、封鎖すべきだった北京市と広東省の２都市を封鎖せずに飛び火させてしまったことが最大の失敗だった」と振り返るが、今回の武漢ではこれが教訓となり、矢継ぎ早の対策につながった。武漢の都市封鎖や診療方針の改訂と普及、医療チームの派遣など、ウイルス戦の本質を見抜いたかのような対策は、このＳＡＲＳの教訓が土台にあるといっていい。

機動力ある中国の「小組」

中国において現場のスピード感を加速させるのは、中国特有の政治組織モデルといわれる「小組《シャオズー》」という組織だ。その歴史は新中国が設立された当初にさかのぼり、トップが集中して統一を図るための支配体制のモデルとして運用されてきた。今なお、特定のプロジェクトなどが立ち上がるときに、異なる部門から横断的に担当者が集められた小組のもとで、プロジェクトの策定、管理、実施などが行われる。常設的に設立するものもあれば、臨時に設立したりするものもある。部門間の壁を越えての連携を取ることで、機動力やスピード感をもたらすことができるという利点がある。

今回のコロナ禍においても、中国では「新型コロナウイルス肺炎対策指導小組」という党・政・軍の責任者9人からなる指導グループが結成された。外務省OBで、元重慶総領事の瀬野清水氏は「小組は、縦割りの行政を中央直属で束ねた総合的組織で、資金と権力を集中させ、機動的に動けるという特徴があります。ヘッドに習近平国家主席または李克強首相のいずれかが就くことが多く、今回の小組では李克強氏が組長になっています」と語る。

前述のクルーズ船「コスタセレーナ号」の入港をめぐっても、まずは天津市浜海新区の副書記、区長、新型コロナウイルス対策予防指揮部の総指揮官が瞬時に会議を開き、「緊急措置小組」を立ち上げた。

日本でも、新型コロナ対策で国立感染症研究所の所長を座長とする「専門家会議」が立ち上がったが、もとより国立感染症研究所の業務は研究が中心であり、対策の策定や実行の権限はない。このコロナ禍でも、日本に根強く存在する縦割り行政の弊害が露呈した。中国の小組モデルにはトップによる権力掌握の強化という一面もあるが、皮肉にもこうした共産党政権下で生まれた「小組」が、コロナ禍では相当な力を発揮した。

湖北省武漢市における新型コロナウイルスの感染拡大封じ込めモデルは、中国特有の対策が大いに反映されたが、それをせんじ詰めていうならば、「小組」と「人海戦術」の融合であり、瞬時にして決定した人員の動員であり、物資の運び込みであり、資金の投入だった。瀬野氏も「人も金も糸目をつけず、とにかく抑え込んだのが武漢モデルです」と話しているが、その最たる事例が、全国から武漢に派遣された約5万人と地元の医療スタッフを合わせた、およそ15万人にものぼる医療スタッフへの手当だ。

医療スタッフには1人につき1日２００元（1元＝約15円）の食費と４００元の特別手当を支給し、１着４００元の防護服を一人につき10着、毎日支給した。この他、重症患者が入院から退院までにかかる費用（1人当たり20万元〜70万元）を無償にするなど、湖北省のみで3月15日までの2カ月半に総額１４００億元、日本円にして実に2兆円を超える国家予算を投入したのである。

シンガポール国立大学リー・クアンユー公共政策大学院研究員であるパラグ・カンナ氏は著書『アジアの世紀』で、「中国政府は自己修正がずっとうまくなり、国内外の危機に対処するための政策立案がより速くなった」と指摘しているが、まさにその通りの展開となった。

中国は製造業を捨てなかった

武漢市の病院は都市封鎖された直後から、医療物資が大量に不足した。中国はマスク、防護服、医療用手袋など、欠乏する医療物資を各国の支援に頼る一方で、マスクについては即座に臨時生産体制を組み、瞬く間に1日1億2000万枚の量産を実現させた。

医療物資は欧米で不足した。ウイルスに勝てるか否かは医療物資の有無がカギを握るが、米・英・独・仏・伊・西のいずれも国内生産では賄えず、感染の拡大を許してしまった。感染拡大期には世界各国は文字通りの「中国製マスクの奪い合い」が展開し、各国の空港や検問所では、フランスが発注したマスクが米国に奪われ、スロバキアが発注したマスクはドイツに奪われ――などと、海賊まがいの略奪が横行した。

世界経済が打撃を受けている最中に、世界の医療用品で圧倒的シェアを握る中国は独り勝ちだった。その理由をたどれば、製造業を国内に残したことが挙げられる。

中国では、上海万博（2010年5～10月）の終盤から産業の構造転換が叫ばれ、新聞を開けば「製造業を切り捨てるか否か」という議論が飛び交っていた。背景には2008年から新しい労働契約法が施行され、人件費が上昇した中国の生産現場では以前のような利益を生まなくなったこともあった。しかし中国は、米国のような脱製造業には向かわず、むしろハイエンドからローエンドまでをカバーする「製造立国」への道を歩み始めた。14億人の民を食べさせることは共産党政権にとっての最大の命題、製造業を存続させることは雇用維持にもつながるからだ。

２０１５年5月に中国政府が示した「中国製造２０２５」は製造業発展のロードマップだが、それは単なる下請けとしての製造業ではなく、米国、日本、ドイツを凌駕し、世界の標準を掌握する「製造強国」への発展を描くものだ。製造業を捨てなかった中国は、〝マスク外交〟を武器に、巨大販売ネットワーク「一帯一路」の地歩を固める――中国はこのコロナ禍においてさえ世界の市場制覇のためのシナリオを構想したのである。

しかし、さすがの中国も、付加価値の高い検査キットの製造となると問題もあった。中国では約１００種類の検査キットが出回っていたが、ものによっては「陰性判定が出てもその後発症する」、またはその逆のケースが頻出し、精度そのものが問われた。

中国は一時、偽陰性者を患者数から外し、統計数字を大きく減少させた。中国の感染者数は8万人レベルとされているが、中国人でさえも「嘘ではないか」と疑ったのは、「精度問題」が解決されていなかったためでもあった。中国製検査キットは対外輸出されたが、購入したスペインでは7割が不良だったなど、各国から批判が上がった。

コロナ禍の日本で、感染症に詳しい専門家も「検査キットは国産を」と唱えた。せめてマスクや検査キットをはじめとする医療用品は、海外に頼らず国産にするべきだ、という国民の期待も強まった。マスクはその後不足が解消され、手作り製品も含めて市場に出回ったが、今回の〝中国依存の怖さ〟という教訓を忘れてはならないだろう。日本では、いつの間にか製造立国という言葉も消えてなくなったが、コロナで世界が一変した今、私たちは「製造業の地産地消」の意義を問い直すときに来ているのかもしれない。製造業を捨てなかった中国の戦略は、今まさに世界制覇に結び付いている。

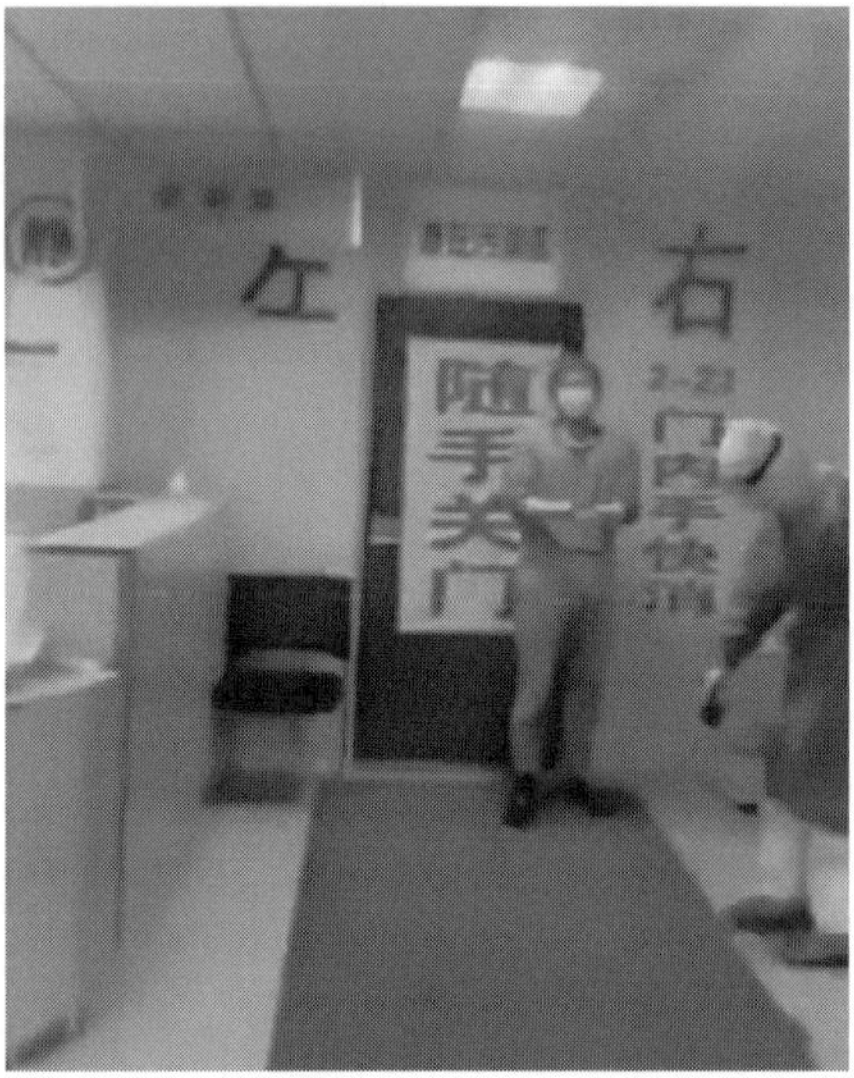

混乱した病院内もほどなくして秩序を取り戻し、感染防止の徹底した管理が行われるようになった（中国のＳＮＳより）

第２章　逆転する先進国と中国の関係

2-1　先進国は「中国モデル」を受け入れたのか

イタリアは中国モデルを導入

中国は〝成功体験〟を世界に普及させようとした。そこは謙虚に低姿勢で行けばよかったのだが、一歩先にコロナ禍から卒業した中国市民は、「世界は中国を真似できるのか」という驕りも見せるようになった。２０２０年３月１日、ＷＨＯ（世界保健機関）の事務局補佐官のブルース・アイルワード氏は、米メディアの取材に対し「中国が行った病例の発見、接触者の追跡、集会などの停止は世界共通の措置になる。特に政策のカギとなったのはそのスピードだ」と答えたが、これも中国の人々の自尊心をくすぐった。

中国モデルの導入に一番乗りで手を挙げたのがイタリアだった。イタリアでは、２０２０年１月30日にローマを旅行中の中国人に初の感染者が確認されると、コンテ首相はその日のうちに中国の主要都市を結ぶエアラインの運行停止に踏み切った。イタリアで感染者が爆発したのは2月21〜22日にかけてだが、瞬時にしてロンバルディア州の複数の都市を封鎖し、続いて3月10日には全土を封鎖した。また、武漢の新型コロナ専門病院「火神山医院」を模範に、病院建設の突貫工事を始めた。住民の外出管理も徹底し、外出のための通行証も必携にした。当局のルールに反すれば「拘留または罰金」という取り締まりも中国モデルに酷似する。全国封鎖に踏み切る前夜、イタリアの議員はテレビ取材に対し「イタリアは中国に学ぶべき、封鎖こそが唯一の封じ込め策だ」と語った。

イタリアの感染者数はそれでも増え続けた。3月16日時点で2万4747人と中国に次いで世界のワースト2位であり、死亡者数にいたっては1809人と、中国よりも多い世界ワースト1位となった。

ちなみに、中国にとってイタリアは戦略上欠かせない重要なパートナーだ。2019年3月に、中国の主導する「一帯一路」で協力する覚書を交わしており、G7初の、あるいは先進国初の参加国として、その蜜月関係を治療の現場にも生かそうとした。

結果は惨憺たるものに

結果は惨憺たるものとなった。イタリアは国内の封じ込めはおろか、逃げ惑う人で欧州各国にもウイルスが拡散してしまった。

強制措置の執行は、人の行動に変化をもたらす。3月22日、インド政府が翌日からの都市封鎖を宣言すると、故郷に帰ろうとする出稼ぎ労働者で街も列車も大混乱に陥った。広東省では3月27日、流行地域からの逆輸入感染を阻止するために、香港やマカオからの入境条件を厳格化することを発表した。前夜の越境ゲートはマカオから大陸に戻ろうとする人でパニックに陥った。

イタリアにおける感染爆発は、住宅事情も影響したとされる。1人当たりの居住面積は小さく、独立した部屋が確保できない世帯が多いために、家族間の感染が進んだともいわれている。中国の感染病の専門家である復旦大学付属華山医院感染科主任・張文宏氏は「イタリアは早期防衛の失敗例だ」と語っている。

ドイツに長期在住する中国人女性が書いたコラムは、イタリアの国民が都市封鎖の方法やタイミングについていけなかったことを示唆するものだ。

「イタリア政府は最大限の警戒感を以て臨んでいたが、却って封鎖反対の抗議活動やスーパーでの買い占め、監獄での暴動を引き起こし、医療システムを麻痺させるなど国民をパニックに陥れた。イタリア人からすれば、自分の自由を制限されるほど辛いことはない。国情も違えば国民も違うのだ。国家の一声で十数億人を家に閉じ込めた中国は、むしろ世界の奇跡だろう」

徹底して臨まなければ効果が出ないのが都市封鎖だとしたら、イタリアは一部の国民の反対でそれを徹底することができなかった。アメリカでも封鎖が行われたが、ニューヨークでは地下鉄の運行は続いていた。中国の考え方に基づく「絶対封鎖」でなければ効果が出ないとすれば、「中国モデル」の普及は却って混乱をもたらしかねない。

医療チームは何をしにイタリアに行ったのか

イタリアの全土封鎖からわずか2日後の3月12日、四川省から派遣された第1陣の医療チームがローマに到着した。いずれも2週間の行程で、ウイルス蔓延の深刻なロンバルディア州を含む3つの州を回り、赤十字会や最前線の医療スタッフ、研究員らと中国の医療経験を共有した。浙江省の医療チームが構成する第2陣は3月18日にミラノに到着し4月2日に帰国、福建省の医療チームが構成する第3陣は3月25日に到着し4月8日に帰国した。

3月13日のイタリアでは感染者数は2万人、中国に次いで世界で2番目に深刻な状況に陥っていた。この混乱した医療現場にやってきたのが中国の医療チームだった。中国メディアが報じるところによれば、彼らのミッションは、①医療物資の供給、②現地の医療機関との診療方法や臨床研究の共有、③在イタリア中国大使館やイタリア外務省との交流など、とある。

医療物資の中には、中国製の呼吸器やＩＣＵ設備、防護服や中医薬（漢方薬）などの薬品があった。診療方法については、経験の蓄積である「新型コロナウイルス診療方案」を携えていた。

「メイド・イン・チャイナ」の製品のアピール、中医学主導の診療法（中国では新型コロナの治療現場に中医学を導入した）、ひいては、「中国式治療モデルで世界を救う」という国際政治上の利益追求をワンパッケージにした支援方式は、イタリアをはじめ欧州各国で「ウイルス外交」とも揶揄された。

一方、崩壊するイタリアの医療現場は、物的支援もさることながら人的支援を求めていた。卒業もしていない医学生を現場に投入せざるを得ない事情からも、人手不足の深刻さを伺い知ることができる。イタリアは人手不足の解消を期待したからこそ、中国に支援を要請したはずだ。第2陣が到着したとき、イタリア側から中国側に「中国の医療チームにはＩＣＵを引き継いでもらうことを希望する」と申し出たのが何よりの証拠だ。ＩＣＵ病棟といえば、昼夜もない最も過酷な現場である。

しかし、中国の医療チームはこれにうろたえた。結果としてＩＣＵを引き継ぐことはなかったのは、仮にここから多くの死亡者が出れば中国に濡れ衣が着せられることにもなりかねないことを心配したからだ。
中国国内では「中国の医療チームはＩＣＵを引き継ぐべきか」をめぐってネット民の間で意見が飛び交っていた。その中に、武漢に派遣されＩＣＵ病棟に入った経験のある医師のコメントがあった。

「イタリアのＩＣＵ病棟に派遣するといわれたら私は辞職する。ＩＣＵは重篤な患者のためのもので、医師にとっても最もプレッシャーが大きい。武漢の支援は同胞だからやれたが、外国で命を懸けることはできない。言葉も異なるのでコミュニケーションにも問題が生じるし、医療機器の操作も困難だ。一所懸命に頑張ったところで、死亡率が高まれば中国チームに力がないと思われかねない」

医療支援の難しさが見て取れる。単なる風邪でも体を温めるのか冷やすのか、といった差があるように、同じ病気でも国が違えば治療方法も根本的に異なる。ましてや、言語が障害となりコミュニケーションが取れないとすれば、中国の医療チームが駆けつけたところで足手まといになりかねない。
イタリアの医療スタッフと中国の医療チームの間では激しいやりとりがあったことが推測される。以下に取り上げるのは、イタリアに派遣された医療チームの中のある人物の手記である。

「我々は事前もしくは中間において欧州全体のスタンスを見ていなかった。彼らの核心戦略が集団免疫だということを知らなかった。我々医療チームはそれを知らなかったので彼らとの間に大きな食い違いが現れ、多くの口論が起こった」

欧州では少なくとも「ウイルス発生国の中国は責任を負うべき」という世論が支配的で、イタリアの国民も「中国の医療レベルの低さが蔓延を助長した」と信じ切っていた。すべての医療隊が中国に帰国したのち、イタリアのメディアは「中国の医療隊は第一線の臨床に携わることなく、役には立たなかった」と報じた。６月、ロンバルディア州の議会では中国に対する問責決議案が通過した。「中国大使館に２００億ユーロを請求する」といった文言は消されたものの、75議席中42議席が賛成票を投じた。

このドサクサで中医薬普及の思惑

混乱した現場に中国の医療チームが持参したのは中医薬だった。習近平国家主席の発令のもと、中国では中医主導で新型コロナの治療に当たったが、これをイタリアでも導入しようとしたのだ。中国は「一帯一路」構想の中で、中医学の治療と中医薬の世界的普及を狙っている。

確かに､世界のトレンドとして「西洋医学の限界」から東洋医学に目が向けられつつある。しかし、中医薬には即効性がなく、緊急性が伴う治療には不向きだ。「この混乱の最中に中医薬治療を持ち出されても……」というのがイタリア側の本音だろう。

新型コロナウイルスで逼迫する医療現場に､中国からの医療チームの派遣――あたかも「中国は地球を救う」かのような筋書きだが、人道支援という大義名分の裏には当然「思惑」があった。ひとつは、ウイルス発生国としての汚名返上と世論操作であり、もうひとつは、いち早く回復を遂げた〝中国の治療モデル〟の売り込みである。「この機に乗じて売り込みたい」という中国の下心がイタリアに警戒されたのか、その後の評価はほとんど聞かない。

中国はこのイタリアへの医療支援で、良かれと思って「中国モデル」を持ち込んだのだろうが、却って混乱を招いてしまった。中国モデルの売り込みは医療だけではない。今後、「一帯一路」構想を世界で展開する上で、中国は「これが中国モデルだ」とアピールし、各国に製品やノウハウを移植しようとするだろう。だが、国も違えば文化も違う。中国での成功体験は必ずしも他国においても同じ結果を導くとは限らないのだ。

『中国模式（中国モデル）』の書籍。2010年代以降、中国ではモデルの確立が意識されるようになった

2-2 世界で蔓延したマスク差別と中国人差別

欧米で激化したマスク差別

電車の中で中国人留学生が殴打されたり、歩行中の中国人がバケツで水をかけられたり、あるいは面と向かって消毒スプレーをかけられたり――新型コロナウイルスが蔓延する欧米で、あってはならないことが続出した。

その発端は「マスク」である。今でこそ、流行の第2波、第3波を懸念する欧米社会はマスクなしでは生活できないという認識を持つようになったが、感染の拡大下にありながら2020年3月まで、欧米ではマスク姿は嘲笑の的だった。他人にウイルスを感染させないと同時に、自分の命を守るための、防疫の手段として欠かせないマスクだったが、イタリアや米国、英国はことさらに「人の自由と人権を侵害するもの」として〝マスク姿〟を差別の対象にしていた。

イタリアでもし早い段階からマスクの着用が始まっていたら、これだけの犠牲者を出すことはなかったかもしれない。3月4日、すでにイタリアでは2000人の感染者を出していたが、「マスクはいらない、自由が欲しい」と大規模抗議が行われた。町でマスクを着用するにも医者または病院が発行した証明書を必要とし、提出できない場合は５００ユーロ（１ユーロ約１２０円）の罰金を課された。イタリア衛生部は「病気でなければマスクの着用は提案しない」と繰り返していた。議会でも「マスク不要派」の声が大きかった。ある議員がマスクをして国会に臨んだら、他の議員がここぞとばかりにこれを笑い物にした。

ドイツでも「マスクは病人だけがつけるもの」という認識があった。フランクフルト在住の中国人男性は「マスクを着用しているとバスに乗せてもらえなかった」と振り返る。感染予防のために着用する習慣がないドイツでは、公共交通機関を利用させてもらえないなどの弊害に遭うこともあるという。ドイツでも嘲笑や敵視の対象となり、身の安全を重視する中国人は、これを避けるためマフラーでマスクを隠して歩いていた。

３月第２週、スペインでは、中国人がいち早く薬局のマスクを買い占めたことで地元市民から恨みを買った。たくさんの物資を買い占めることができる中国人の資金力と、買い占めの対象となった商品が身を守ることにつながる物資であったという点、さらには「そもそもウイルスは中国で発生した」という認識が、欧州の人々に嫌悪感を抱かせた可能性がある。欧州では「マスク＝中国人」とアイコン化され、ここへの差別が高まった。

アメリカではトランプ大統領（２０２０年12月時点。大統領在任中の出来事については「大統領」の表記のままとする。以下同じ）が３月４日の記者会見で「普通の人はマスクをしなくていい。アメリカのコロナリスクは依然低い、アメリカ人はマスクを買う必要はない」と繰り返していた。そもそもアメリカにはマスクがないのでは？　という懸念もあった。一説によれば、アメリカのマスク在庫は３５００万枚しかなく、国民全員の需要をカバーするなら年間で35億枚が必要だという。

その後、トランプ大統領はスリーエム、ハネウェルなどマスク生産企業4社を国内回帰させたい意向を打ち出し、中国からマスク、手袋などの１００種類以上の医療産品の輸入をゼロ関税で行うとした。やはり米国には、国民に行き渡らせるほどの在庫がなかったようだ。

マスクに対する根強い抵抗

3月12日、ニューヨーク市に非常事態が宣言されるや、翌13日にはトランプ政権が「国家非常事態」を宣言した。しかし、国民のマスク着用はなかなか普及しなかった。交流サイトには、これだけウイルスが流行しながらも、米国人はなぜマスクをしないのかと気を揉む在米中国人の投稿が殺到した。３月９日には次のような批判が挙がった。

「米国の市民は中国の経験に学ばず、マスクをせずに依然としてあちこちで活動を続けていた。多くの人が自由と民主の名のもとに、マスクを差別して着用を拒んだ」

欧米の人々が見せるマスクへの抵抗には、それなりの理由がある。その１つが「マスクは動物の轡《くつわ》を連想させる」というものだ。轡は動物が人間を咬まないように取り付ける金具であるが、ある時代には奴隷にも装着されたことがあるという。米国では７月に入ってもなお、マスク反対運動が繰り広げられた。

19世紀の米国で、ＫＫＫ（クークラックスクラン）と呼ばれた白人至上主義団体が覆面を着用して市民を脅迫したことがあった。彼らは排他的愛国者ともいわれ、言論の自由を奪う者ともされた。覆面姿が自由を脅かすものだと連想するのは、こうしたところにも原因があるのかもしれない。ちなみに、フランス、ベルギー、イタリアなどでは、顔を隠して公の場に出ることを禁止する条例が制定されたことがある。確かに顔を隠すことは、テロや犯罪を助長することにもつながりかねない。よほどの重病でない限り着用することのないマスクだが、欧米の市民が非常に強い抵抗を示したのは、それに加えて「国家による国民への強制」があったからなのだろう。

余談になるが、中国でも少し前まではマスクは病人しか着用しなかった。筆者は１９９２年に初めて上海を訪れたが、空気が悪く、のどを痛めることがたびたびあった。ところがマスクをしようとすると「病人でない限りやらないほうがいい」と中国の友人にたしなめられた。中国でも予防のためにマスクをするという習慣はなかったのだ。

２００１年、中国がＷＴＯ（世界貿易機関）に加盟すると、商機を見込んで対中投資する日本企業や渡航する日本人が増えたが、衛生観念が発達していなかった当時の中国では、感染予防のためにマスク姿で中国の町を歩く〝潔癖症〟の日本人もいて、中国の人々から奇異な目で見られていた。

しかしその後、2003年のSARS、2013年の鳥インフルエンザ、さらには自動車の急速な普及による排気ガス問題やPM2・5などの大気汚染問題を経て、首都北京や上海をはじめとする沿海の都市部では、生活習慣の中にマスク着用が浸透するようになった。

中国人に「自由」は「身勝手」だと映った

世界で新型コロナウイルスの感染拡大が深刻化していた2020年3月、フランス・パリでは真夜中の集会が行われていた。ドラムの音、若者たちの歓声、人の群れは次第に大きくなる。

3月14日23時18分、パリ在住のある中国人留学生が、憤慨しながら自撮りした動画をSNSに投稿した。

「シャワーを浴びて寝ようと思ったらこの有様だ。こんな夜中にいい加減迷惑だ。僕を眠らせないつもりなのか」

彼は、広場で繰り広げられる大騒ぎを最初は好奇心で部屋の窓から眺めていたが、だんだんそれが怒りに変わった。群集は千人規模にも達し、次第にシュプレヒコールを上げながら移動を始めたのだ。

累計感染者数が１０００人の大台を超えたフランスで、３月８日、政府は１０００人以上の集会を禁止すると発表した。恐らくこの活動は集会禁止に抗議してのことなのかもしれない。中国人留学生はさらにこうつぶやく。

「夜中の11時半、しかもウイルス蔓延期にあって、彼らはマスクも着けずにこんなことをやっている。本当に彼らの考え方が理解できない。夜中の11時半といえば人が眠る時間だよ。フランス人からすれば自由の主張なんだろうが、自由というのは他人の睡眠の自由に影響をもたらさないことが前提なのではないか？　あまりに身勝手だ」

欧米では多くの人がマスクを拒み、マスク姿のアジア人を差別し続けた。在外の中国人には、「マスクをしない自由」を主張しながら、「マスクを選択する自由」を認めない欧米人が〝ダブルスタンダード〟に映った。

「チャイナ・ウイルス」でエスカレート

3月18日にトランプ大統領の口から飛び出した「チャイナ・ウイルス」という発言に対し、中国政府は強く抗議した。翌20日に外交部が行った報道記者会で、ある記者が「中国から購入する製品はコロナに汚染されている」とする西側の一部の学者の意見を引き合いに出すと、報道官の耿爽氏は「チャイナ・ウイルスというならば、ウイルスに感染しないためにも、中国産のマスクや防護服、中国から輸入した呼吸器など使わなければいい」と応酬した。

政治は子どもにも影響した。英国では、14歳の少年が中国人留学生らに「チャイナ・ウイルス、帰れ」と罵倒した。この少年は最初、4人で街路を歩く中国人留学生に近づき、「お前ら、マスクは持ってるか？」と声をかけ、わざと咳をし、ベルトを地面に打ち付けて威嚇するなどの嫌がらせをした。中国人留学生がこの行為を咎め謝罪を要求すると、この少年は「英国から出ていくのはお前たちの方だ」と、さらに強気に出た。

米サンフランシスコ市では、ホームレスの女性が通りすがりの中国人に対して「米国はあなたたちを歓迎しない。だから私はトランプに票を入れるんだ」と罵った。アジア人の女子学生は、「トランプは『すべてのアジア人はコロナを持っている』と言っている」とつぶやきながら近づいてきた見知らぬ男性からドリンクをかけられた。アジア系の教師は、生徒から「クラスメイトが発症したかもしれない」とあたかも教師から感染したかのような言い方をされた。

トランプ大統領の「チャイナ・ウイルス」という発言は、国内の混乱に対する国民の不満をそらせることにも有効だった。投資家は儲からない理由を、労働者は苦しい生活の理由を、多くの人がウイルス感染の災難を「中国のせい」にした。米国は人種差別を克服する努力を重ねた歴史があるにもかかわらず、これを台無しにするかのような揺り戻しが起きていた。差別はウイルスの蔓延とともに、ますますひどくなる一方だった。

大統領自らが先頭に立って差別発言を行う、この危険な状況を憂慮する人物がいる。オバマ政権時代に米国駐中国大使を務めたマックス・ボーカス氏は、ＣＮＮの番組「コネクト・トゥ・ザ・ワールド」の取材に次のように答えている。

「トランプ政権の中国に対する言葉は、あまりに行き過ぎだ。マッカーシズム（１９５０年代に米国で発生した反共産主義運動、赤狩り）をも想起させるし、また１９３０年代のヒトラー期にも似ている。いま行われていることが間違いだと多くの人が知っていても、怯えてしまい誰も立ち上がって主張できない。責任感ある米国人も、ナチスドイツと同じで声を出せない。これは非常に危険なことだ。トランプ大統領はコロナ禍で不利な形勢だから、国民の注意を逸らそうとしているのだ」

海外に留学中の中国人子女らがこぞって祖国に帰国した（中国のＳＮＳより）

米国は自由で開かれた移民社会であり、人々は多様な価値観とともに生活している。それゆえに極端な言論が世の中を惑わすことも少なくない。一方で、社会の底辺には十分な教育を受けられない人々がおり、仮想敵を作って日ごろの鬱憤を晴らすこともあるが、今回のコロナ禍において米国では大統領自らが差別を助長するような発言を行った。しかもそれは、国民のガス抜きのみならず、大統領選に勝つためにに中国を利用するという、あまりにも利己的なものだった。大統領のみならず、議員やメディアも一緒になってこれをやっているのだとしたら、自由と民主の理想を掲げる米国社会は変質を始めているといわざるを得ない。

2-3 中国は世界で最も安全な場所なのか

蔓延拡大する日本に我が子を置いておけるのか

２０２０年2月27日は中国人ネット民の間で最も日本批判が高まった1日だった。この日、中国人留学生のケアをする都内のボランティア団体にも、中国にいる保護者からこんなクレームの電話がかかってきた。

「一体、日本はどうなっているんですか！」

このボランティア団体によれば、親が心配して日本に留学している子女を中国に連れ戻す動きがあったという。団体の中国人スタッフは「結局、2人の中国人留学生が帰国しました」と語る。ある中国人留学生のもとには、「東京五輪を予定通りに開催したいがために、日本政府は新型コロナの感染者数を隠ぺいしている。早く帰ってこい」という家族や親戚からの電話が殺到したという。中国人留学生も、感染者を増やしながら満員電車で通勤・通学を続ける日本社会にはかなり不安を抱いていたようで、「いかに東京から逃げ出すか」が関心事となっていた。

「検査に消極的なのはなぜなのか」
「北海道でようやく休校になったが、他の地域はなぜそうしない？」
「これほど感染者が出ていながら、なぜ企業活動が続いているのか」

在日の中国人を中心に、そんな不満がネット上で一気に噴き出した。一方で、北海道の全公立小中学校の臨時休校にいち早く動いた鈴木直道知事に対しては、中国人ネット民の間で拍手喝采が起こっていた。

日本に留学する子女を持つ中国の保護者が大騒ぎをしたのは、2月25日に新型コロナウイルス感染症対策本部が発表した基本方針が曖昧で、検査体制、学校の授業、企業の活動を日本政府としてどう制御していくのかがまったく伝わらなかったためだ。中国人留学生らはほとんどが「一人っ子」であり、親の目の届かない留学先の政府がコロナウイルスに対して機動力ある対策が打ち出せない状況に危機感を覚え、ヒステリックに反応したようだ。

中国人保護者たちの反応からは、さらに2つの示唆が読み取れる。それは、中国では2月末までに中国モデルによる防疫・治療対策が確立していたことであり、国民はこれに一定の効果を見出し、強硬といわれた対策を信じ、自信を持つようになっていたことだ。

もちろん、中国が執った強硬策を中国のあまねくすべての人々が受け入れているとはいえないだろうが、一般的な中国の人々は「中国こそ安心だ」という心理の変化を見せるようになっていた。

欧州の惨状に自信を強める中国人

武漢市が発生源とされるコロナウイルスはその後イタリアに飛び火し、中国に次ぐ新型コロナウイルスの流行国となった。１月31日に首都ローマで２人の中国人観光客が、２月６日には武漢から帰国したイタリア人が感染したことが認められ、24日には北部のロンバルディア州を中心に爆発的な感染が始まった。スーパースプレッダーは中国人の友人との接触歴のある４人目の感染者となった38歳のイタリア人男性ではないかと疑われた。

イタリアは近年、中国人の居住者が増え、およそ30万人の中国人が生活しているというが、ウイルス蔓延とともに多くの中国人が帰国の途に就いた。

ロンバルディア州の12の地区が封鎖されたのは２月23日のことだったが、同州のベルガモ県は封鎖の対象とはならず、ここから８人の中国人が間髪入れずして脱出した。３月10日、新型コロナウイルス感染者の１万人突破を目前に、イタリアはロックダウンの範囲を全土に拡大させると、全面封鎖が発令される前夜には、一部のイタリア在住の中国人が「これが最後のチャンス」とばかりに〝駆け込み出国〟をした。

一方、国内のコロナ流行拡大がピークを過ぎた中国では、「ウイルスの逆輸入」で大騒ぎになった。浙江省麗水市とその中にある青田県は、２月27日の段階ですべての感染者が退院し「感染者数ゼロ」の達成に喜びの声を上げていたが、ベルガモ県から中国に帰国した中国人が集団発症して数字が一気に増えてしまった。中国全土でもイタリアからの帰国者が続々と増え、３月８日時点で感染者数は19人（北京市９人、浙江省10人）となった。

中国人は欧州全体にも散らばっている。同胞が結束し、ネットワークを広げて頻繁に情報交換をするのが在外中国人の特徴だが、ベルギーに居住しながらイタリアの爆発的流行を観察してきた華僑の江さん（仮名、50代）はこう語った。

「蔓延する新型肺炎を恐れて、欧州在住の中国人が中国に大脱出をしても不思議ではありません。彼らにとって中国こそが、最も安全な場所なのですから」

非常事態宣言下の中国で、人々は移動の自由を奪われ、ほぼ軟禁に近い形で自宅に閉じ込められるという未曾有の「都市封鎖」を経験した。この〝中国共産党の強硬手段〟に、世界中に散らばる在外の中国人は当初、恐れをなした。ところが、中国の国民はこれに従い、検温を欠かさず、家に閉じこもり、外出する際にはマスクを着用し、この非常事態に耐えた。

その甲斐あって中国は感染拡大を防ぎ、武漢市を除いて正常な生活を取り戻しつつあった。海外に在住する中国人は「我慢強い同胞たち」を目の当たりにしていた。

その一方で、イタリアではマスク姿で国会に臨んだ議員が嘲笑されたり、感染者が２０００人に近づこうとしているにもかかわらず、人々は「マスクより自由を」と唱えたりした。封鎖措置には抗議活動が繰り広げられ、ウイルス蔓延下の飲食店では「危険はどこにあるのか」とばかりに多くの市民が濃厚接触状態に疑問も抱かず、会話と食事に夢中になっていた。

中国の感染者は８万人を突破していたとはいえ、中国本土は在外の中国人にとっての避難場所と化した。欧州の中国人は、政治体制や文化の違いを理解しながらも、「イタリアの惨状を見るにつけ、ウイルス蔓延を最小に食い止めた中国政府を再評価せずにはいられない」（江さん）と言う。

14億人にＰＣＲ検査をする勢い

コロナ蔓延から半年以上が経ってもなお、中国では感染者が出続けていた。２０２０年７月31日の時点で、中国全土の累計感染者数は８万８１２２人（死亡者数４６６８人）となった。武漢市が76日ぶりに封鎖が解除された４月８日報道の中国の感染者数は８万２６９７人（死亡者数3335人）であり、およそ4カ月間で5425人が増えた計算になる。

一方、4月8日の日本における累計感染者数は3906人（死亡者数92人）だったが、7月31日時点では3万4809人となり、3万人以上が増加した。単純に人口比で見ても、中国の封じ込めの〝徹底ぶり〟が見て取れる。

遼寧省大連市では7月下旬から感染拡大が始まった。そこで市は600万人を超える全市民を対象にしたPCR検査を開始。7月26日の開始以来、同市は5299カ所に検査拠点を設け、累計2万4790人の医療従事者を動員、31日には448万8000人のPCR検査が完了した。

全市民を対象にしたPCR検査は、人口1100万人の武漢市でも行われた。同市では5月に集団感染が発生するや、「10日間で全ての武漢市民に対してPCR検査を実施する」という一大プロジェクトをぶち上げたのだ。「一体どこの国に、10日間で1000万の市民を検査する国があるのか」――と、当初は中国の感染症専門家も呆れるほどの無茶ぶりだった。

武漢市衛生健康委員会によれば、4月29日時点で1100万人の市民のうち103万人が検査済みであり、この10日間で行うのは残りの1000万人とされた。5月26日付の「湖北日報」は、5月15日から5月25日の10日間で900万人超のPCR検査を終えたことを報じた。検査の開始時期と検査対象人数は当初の報道とズレはあるものの、武漢市は「10日間で全市民のPCR検査の目標を達成した」と宣言した。

ウイルスと死への恐怖に怯える中国の国民を落ち着かせるには、もはや「検査」という科学的手段しかない。「ＣＣＴＶ（中国中央電視台）」のニュース番組内で、有名アナウンサーが中国疾病予防コントロールセンター副主任の馮子健氏にこんな質問をした。

「武漢の全市民検査の費用は20億元（約３００億円）ですが、もしも全国で行えば２８００億元（約４・２兆円）です。ウイルスの蔓延を許して巨大な経済損失を出すよりも、２８００億元の検査コストを負担すべきではという分析もあります。全国民を検査すれば、全国民に安全をもたらすことができるのではないでしょうか」

14億人全員がＰＣＲ検査──。大胆な発想だが、根絶するにはここまでやらなければならないという覚悟が垣間見られるやり取りだ。馮氏の回答は「全国的な一斉検査は必要ない」というものだったが、広範囲にわたる検査の可能性は否定しなかった。ダラダラと感染者を出し続けていれば、結局、経済的な損失を生み、回りまわって国民生活を打撃するからだ。

また「信仰」を否定する共産主義体制のもとで、死後について考えることも論じることもなかった中国の人々にとり、ウイルスによる死はこの上ない恐怖である。ウイルスの恐怖に怯える国民を安心させるにはこの手しかない。

「退職後は国に帰りたい」の決意

コロナ禍を経て、祖国に対する見方を変えた在日中国人は少なくない。大阪府在住の汪さん（仮名、50代）は、日本に希望を見出して40年前に移り住んだひとりだ。しかし、平成に入ると日本経済は失速した。商売はかろうじて維持してはいるものの、中国の企業に見るようなダイナミックな成長に欠ける。近年は「これでよかったのか」と反芻する日々が続いていた。そんな汪さんをさらに失望させたのがコロナに対する日本政府の対応だった。

「水際対策の遅れや〝アベノマスク〟の失策もあった。この国難に安倍首相（当時。在任中の出来事については「首相」の表記のままとする。以下同じ）は国民にメッセージも出さなかった。それどころか、政治家同士の不倫報道さえあった……、これにはさすがにがっかりしました」

彼だけではない。大の日本ファンで、20余年にわたり日本の納税者として東京で暮らしている胡さん（仮名、40代）も考え方を変えた。

「退職したら中国に戻るつもりです」

喫茶店でアイスコーヒーをすすりながら、打ち明けられた胡さんの決意に筆者は少なからずショックを受けた。日本での生活をスタートさせたのは日本人男性との結婚がきっかけだったが、胡さん自身が中国よりも自由な民主社会での生活を望んだからでもあった。しかし、コロナ禍という共通の課題にぶち当たったとき、日本政府の措置はあまりに不甲斐ないものだった。その延長に「安心した老後」が描きにくい、という心境に至ったとしても無理はない。

昨年まで、インバウンドを通じて多くの中国人が日本を訪れていたが、そこで胡さんが目の当たりにしたのは、自分たちの生活より彼らの方がずっと羽振りがいいということだった。さらにコロナ禍を乗り越えて友人や親戚は今や自信満々で、コロナ対策については中国政府に一目置くようになっていた。こうした中国人の変化が胡さんの考えを大きく変えた。

「中国のコロナ対策は不十分なところもたくさんあります。しかし『非常時において政府は何をすべきか』が明確でした。政府のスピード感、国民の団結、そしてヘルスコードに見る技術力に感嘆しないではいられないのです。中国に戻れば自由がなくなるといわれますが、帰国する頃は私も高齢者ですし、それほど心配はしていません。安定して静かな余生を送ることができればそれでいいのです」

2020年9月の大連市内。7月の感染拡大を受け、市民全員がPCR検査を行った（林慎一郎氏提供）

中国は今、〝世界がバッシングする強権国家〟である。現政権になってからは言論統制が厳しくなり、時計の針が逆戻りするかのような独裁政治が強まっている。にもかかわらず、コロナ禍を経て人々が中国という国に信頼を置くようになった変化には正直驚かされる。

ましてや、一度中国の外に出て、自由や民主に重きを置く国家のよさを享受したはずの中国人が、それらの価値観がない祖国でも「そこに戻りたい」と言うのだ。もちろん、日本に在住するすべての中国人がそうなのではないだろうが、筆者にはこれが現代の中国にもたらされた新たな転換点であるような気がしてならない。

2-4 ウイルス封じ込め、「米国は中国のようにできたのか？」

武漢市と相似する先進国アメリカの実態

新型コロナウイルスによるパンデミックを共に経験した米中だが、共通点を挙げるとすれば「初動の遅れ」である。これはもはや自由主義も共産主義も関係ないようだ。一方、相違点は「その後の対応の速さ」と「救った命の数」である。

米国では庶民が犠牲になった。ウイルス感染が拡大する最中でも、トランプ大統領は国民の救済どころか、11月の大統領選で頭がいっぱいだった。２０２０年5月25日、日本では緊急事態宣言の全面解除が宣言されたが、米国では約１６４万人の感染者と約10万人の死亡者を出していた。

２０２０年1月21日、米国で新型コロナ感染者第1号が報告された。2月29日には初の死亡例が発表され、3月に入ると感染者数が爆発的に増え始めた。ニューヨークを中心に、検査やマスクの不足、医療現場での病床数不足で大混乱となった。

3月3日、米疾病コントロールセンター（ＣＤＣ）は自ら、「ＣＤＣの（発表する）数字は、もはや全国の数字を反映しなくなった」とし、「今後、感染者数は発表しない」と宣言した。

CDCの発表数字は、武漢や日本からの帰国者の判定結果が除外され、また各州が独自に検査や報告をするなど、実態と乖離していたためだ。在米市民は混乱に陥り、「感染者数は自分たちが知るよりもはるかに多いはずだ」と疑った。まるで感染拡大早期の武漢そのものだ。

米国で、事態が悪化の一途をたどっているのは明らかだった。ペンス副大統領は翌4日の記者会見で、「米国でコロナリスクは依然低い、米国人はマスクを買う必要がない」と、強気の姿勢を表した。同日時点の米国内感染者数は153人、死亡者は9人。明らかに事態は深刻化しているが、ホワイトハウスは楽観的だった。

そんな中で、コーネル大学医学院のマット・マッカーシー教授が「ある国では1日1万件も検査ができるのに、ニューヨーク州は32回の検査しかやっていない。これは国の醜聞だ」と、テレビ番組に出演して警鐘を鳴らした。当時、中国では武漢市だけでも1日の検査数は2万件を超えていた。

中国系住民の朱海倫医師も警告を発していたひとりだった。2月25日、渡航経験も濃厚接触の経験もない地元(シアトル)の患者に陽性反応があったことから、朱医師は米国でもコロナが静かに蔓延しているのではないかと恐れていた。だが当時、検査機関は朱医師の説得にもかかわらず検査を拒んだ。朱医師はやむなく独自に検査をしていたが、CDCは検査停止を要求した。武漢では当初、ウイルス蔓延を警告した医師8名が訓告処分されたと前述したが、米国でも医師の警告は聞き入れられなかった。

物資不足も当初の武漢と酷似する。ワシントン州は新型コロナウイルスの流行地だが、同州の首長は検査キットの数が少ないことを理由に、「軽症の場合は検査の必要はない」とした。米国はWHOが開発した検査キットを使用せず、CDCが独自に開発を進めていたが、検査キットに問題があったことから使用中止となり、検査そのものが滞ってしまった。

在米の中国人留学生は唖然としていた。3月4日、さすがにいたたまれなくなったのだろう、中国人の女子留学生が自身のコメントをインターネット上に投稿した。

「米国はもはや世界一でもないし、強大な国家でもないのではないか。感染者は9000人はいるだろうといわれている。(誰もが) 検査を待っているが、果たして検査キットが量産されているのかもわからない。検査費用の国民負担も重い。米国は中国のような対処ができない。本当に怖い」

米国は同月6日、検査キット100万個を全国に向けて供給することを決定した。マスクに至っては依然「着用は推薦しない」としながら、マスクを含む医療防護用品について国内生産を拡大させるとした。一方で、〝箝口令《かんこうれい》〟も敷かれた。米国の政府職員や公共衛生の専門家はウイルスの状況を公表する前に、なぜかペンス副大統領の承認を得なければならなくなったことが報道された。これもまた、初期の武漢市の隠ぺいを彷彿とさせるものだ。

翌日7日、ニューヨーク州は緊急事態宣言を行い、13日にはついに国家非常事態宣言が出された。

フロリダ州に在住する中国系の筆者の友人は、米中の対応の差について「米国は株価下落を気にするあまり対応が遅れたが、中国は経済を切り捨て、ウイルス防衛を優先した。米国のトップの関心は資本家の保護であり、民衆の命ではない」と語った。もっとも、中国ならば、仮に株式市場や不動産市場に一時の下落があったとしても、その後政府が介入しコントロールすることができる。それでも、米国のウイルス対策は、中国という事例があったにもかかわらずあまりにお粗末過ぎた。3月27日、米国の感染者数は8万1543人となり、ついに中国の感染者数を上回ってしまった。

自由な競争社会の足元では

4月の米国は、混乱にさらに拍車がかかった。SNSには一般の生活者の叫びや怒りの声が上がった。19日、ニューヨーク市のブロンクス地区に住むヒスパニック系の女性はこう訴えていた。

「今日、姉がコロナで死んだ。姉は症状を訴えて地元の病院へ診察に行ったが、気管支炎でありコロナではないと言われた。再び行っても結果は同じで、ＰＣＲ検査もなかった。しかしその後意識はなくなり、ようやく検査を行うことになったが、間もなく死んだ。なぜ金持ち、有名人、野球選手、歌手は検査ができるのに、労働者や貧乏人は検査ができないのか。ウイルスが蔓延するこの間、死んでいったのは金のない人々だ」

その前日には、高級住宅街に住んでいる中国人の若い男性が、ドライブスルーでできる便利な検査を陽気な表情でこう紹介していた。

「今日、米国は感染者数が66万人に達したが、４月17日以降、必要と思えばすぐに検査ができるようになった。ドライブスルー形式で口の中の唾液を採取し、試験管の中に入れ、これを回収ボックスに投じるだけ。10分で終わるこの検査は無料で行われている」

米国は、国家非常事態宣言とともにロックダウンを行った。４月10日ニューヨーク市長が突然宣言し、一部エリアを制限区域に指定し、店舗、学校、教会などを閉鎖した。４月26日の時点で12の州が封鎖状態に入っていたが、４月第４〜第５週にかけて、この12州を中心に大規模な抗議デモが起きた。もともとはロックダウン反対の抗議デモだったが、そこにはさまざまな主張が現れていた。

市民のシュプレヒコールを撮影したビデオからは「ウイルスで死ぬか、失業で死ぬか」のギリギリのところまで追いやられていることが見て取れる。ミネソタ州のデモ参加者は「ミネソタを回復させる唯一の方法は、我々を仕事に戻すことにある。仕事の再開が長引けば、自殺する人がますます増える」と訴えていた。

アイダホ州では、3つの事業を休業させた経営者が「我々は憲法に認められている権利すら失った。今や我々は独裁政治のもとに置かれている。これは正しいことではない」と訴えていた。

一部の市民が示す強い抵抗には、政府の決定によって自分たちの自由な経済活動が停止に追い込まれたことへの不満がある。ノースカロライナ州のデモ参加者は「憲法は、市民が政府による権利侵害を受けないことを保護するためにあり、人々を監督する政府を保護するためにあるのではない」と訴えた。経済活動を停止させた挙句、税金による経済補償金でその穴埋めをするというのはおかしいという主張もあった。

テキサス州からも「政府の行為は越権だ。我々にも権利があるし、少なくとも自分の健康に責任を負うことができる。だから政府からああしろ、こうしろの指示など必要ないのだ」という声が上がった。

米国市民はウイルスより国家権力を恐れた

ここから浮き彫りになるのが、「小さい政府」の在り方だ。官による民への介入を最小限度に抑え、民間活動が自由を享受する代わりに責任は自分で負う、というのが米国流である。日本のような国民皆保険制度が発達しないのも、こうした発想があるからだろう。一人一人の「個」が極めて独立した状態にあり、個人の権利を主張するのが米国人だとしたら、その真逆にある中国の政治的な統制の在り方にアレルギーを持つのも理解できる話だ。さらにそこに加わるのが「人権」「自由」「働く権利」の主張だ。「我々は共産主義ではない」という声からは「ロックダウンは中国でこそ受け入れられる措置だ」というニュアンスさえ読み取れる。

前出のフロリダ州在住の中国人は、コロナ封じ込めの足並みが揃わなかったのは国家権力へのアレルギーのせいだと受け止めている。

「米国が封じ込めに失敗したのは、トランプ大統領だけのせいではありません。国の制度や社会が形成されたプロセスが異なるのだから、それは必然の結果だといえます。個人は常に自分の権利の主張ばかりで、自己の義務や犠牲には目を向けない。政府の言うことに耳を傾けることは国家権力に屈することだと思っているからです。米国は、市民がコロナ以上に国家権力を恐れた結果、こんにち見る悲惨な状況に陥ってしまったのではないでしょうか」

生死観の違いも明らかになった。カリフォルニア州には「家に閉じこもるくらいなら、外出して死んだ方がいい」と話すデモ参加者もいた。「ウイルスなど怖くない」と発言した男性は「集団免疫になればいいのだし、何より明日のことなど誰にも保証できないのだから」と続けた。アリゾナ州でのデモ参加者のひとりは「みんないずれ死ぬ」という考えを示した。

米国のみならず、イタリアやフランスにもこうした生死観を持つ市民は多い。筆者のガンを患ったキリスト教徒の友人は、天に召されることを喜びとして堂々と死を迎え入れたが、キリスト教信徒が多い欧米社会の人々の、死に対するアプローチは中国人とは対照的だ。

一方、中国人や在外の中国系の人々は、ウイルスの感染拡大を許した欧米社会に対し、失望感を持った。自分のことばかりを主張するのではなく、一人の行動が他に与える影響を理解し、社会全体の利益に配慮できれば、最悪の事態も回避できたはず——そんな思いを膨らませた。もちろん、中国ではそれは自主的行動ではなく、中国政府による強硬手段だったわけだが、中国の市民は厳しい措置だと思いながらも、皆が団結してそれを受け入れ、結果として早期収束をもたらしたことに達成感すら抱くようになっていた。それと同時に中国の市民は、米国の自由と民主の社会に大きな矛盾が存在することを目の当たりにした。

米記者に反撃する外交部スポークスマン

新型コロナウイルスを甘く見て初動対応に失敗したトランプ大統領に、国民の怒りが向けられるのかと思いきや、トランプ氏は3月18日以降「チャイナウイルス」という言葉を繰り返し使い、「発生源である中国は、コロナ禍の責任を取るべきだ」という世論戦に舵を切った。これに賛同し4月29日時点で中国に賠償を求めようとする国は、米国をはじめ英国、イタリア、ドイツ、エジプト、インド、ナイジェリア、オーストラリアなど8カ国に広がりを見せた。フランスの国営ラジオ局・ＲＦＩ（ラジオ・フランス・アンテルナショナル）によれば、賠償金の推計総額は１００兆米ドル（1京１０００兆円）を超えるという。

大統領選を見据えて中国を厳しく非難するホワイトハウスに、中国も黙ってはいなかった。中国外交部はこれまで何度となく反論を繰り返してきたが、なかでも4月2日に行われた外交部報道官の華春瑩《かしゅんえい》氏による記者会見は、その決定版とでもいうべきものだった。米国の「ブルームバーグ」の記者の「中国は数字を隠しているのではないか」という質問に対して8分以上もの時間を割いて反論し、最後には記者を〝納得〟させたのである。

華春瑩氏は、武漢の研究所からウイルスが流出したという説について、「武漢はウイルスが発生した場所ではあるが、どこで出現したか、それがいつなのかについては多くの報道がある」とし、「事実に基づいた専門的な分析と、科学に基づいた専門的な評価判断が必要だ」とする中国の立場を説明した。

そのうえで華春瑩氏は「もし最初に見つけたのが中国ではなく米国だったら、米国は中国以上に対処できたのか」という質問を記者にぶつけた。米国の政府職員や公共衛生の専門家は、ウイルスの状況を公表する前になぜペンス副大統領の承認を必要としたのか？　ウイルスの危険性に警鐘を鳴らした米国の医師に対して、ホワイトハウスはなぜ検査を停止させその結果を口封じさせたのか？　華春瑩氏はそうした事例を一つひとつ挙げて、記者に詰め寄った。

記者会見が行われた4月2日時点での米国の感染者数は、中国の2・6倍にあたる21万人にまで拡大していた。米CDCは1月の早い段階で感染拡大を警告していたにもかかわらず「米国政府は何をやっていたのか」とも問い質した。

一方で華春瑩氏は、米メディアの多くが米国政府の対応に問題意識を持っていることに理解を示してみせた。そして最後は、次のように結んだ。

「私が話をしている間、あなた（「ブルームバーグ」の記者）はしきりに頷いていた。だから、私たちは共通認識を持っているものと思う」

5月24日土曜日、「ニューヨークタイムズ」は1面で「米国の死亡者は10万人に接近、その損失は計り知れない」と、米国経済が極めて厳しい状況にあると報じていたが、肝心なトランプ氏はバージニア州にある「トランプナショナルゴルフクラブ」でプレイに興じていた。

季節は秋になった。10月15日、米国の累計感染者数は８００万人を超えた。「ニューヨークタイムズ」は10月13日、ピューリッツアー賞受賞歴のあるジャーナリスト、トーマス・フリードマン氏の「中国はよくやった、我々は病人になった。ありがとう、トランプ」と皮肉に満ちたタイトルの寄稿を掲載した。同氏は中国の封じ込め策に一定の評価を与えたうえで、「民主主義体制下では中国がやったようにはできないものの、米国は公の連帯と戦時下の犠牲に対する意欲が消え去った」と米国独特の個人主義の強さを指摘した。他方、「１９１８年のスペイン風邪では米国人はマスクをした」とし、トランプ氏がウイルスの脅威を無視し、マスク着用者を嘲笑したことについて、「このような民主国家は理性的なコロナ対策を議論できない」と失望を見せた。「公の連帯と戦時下の犠牲」――。政治体制は異なれど、これを侮ることはできないということだ。

观
就像我们之前说的那样 美国人没有必要购买口罩
2020年３月の記者会見でペンス副大統領は「アメリカ人はマスクを買う必要はない」と伝えた（中国のＳＮＳより）

「社会主義の核心的価値観」にも「自由」という言葉が存在する

第2部 民主と独裁、米中の価値観の対立

第3章 西側と中国、世界に2つの価値観

3-1 中国人は米国の自由と民主を疑問に思った

銃を買い占め武装する中国系住民

米ミネソタ州ミネアポリスで黒人男性のジョージ・フロイドさんが警察に首を膝で押さえ付けられたのち、死亡する事件があったのは2020年5月25日のことだった。「息ができない、助けて」という懇願も虚しく、押さえつけは8分以上にも及んだ。この死亡事件が発端となって、人種差別に抗議するデモが発生し、その後全米に飛び火した。

コロナ禍のマスク着用で顔が隠れているせいもあり、デモは過激なものになった。大型スーパーが破壊され略奪されたり、ファミレスが焼き討ちされたりと、抗議活動はたちまち暴徒化した。ブランドショップや飲食店などが破壊・略奪の対象となり、全米の都市は炎と黒煙を上げる戦場と化した。

このデモが始まる前、米国では銃が飛ぶように売れていた。3月、カリフォルニア州の一

部の中国系住民の間で銃を買い占める動きがあった。一人で数十丁も購入するケースもあり、その結果、銃の価格は２割以上も上昇した。銃を求める長蛇の列は消えず、すっかり在庫がなくなるという店舗もあった。

米国では新型コロナウイルスの蔓延とともに、差別の目が中国系の住民や留学生に向けられ、暴力による被害者も出始めていた。警察による保護をあてにできない中国系住民は、火事場泥棒的な事件の多発を見込んで自衛集団を組織しようと身構えていた。すでに自宅の地下室を武器庫にしている住民さえいた。今まで華人が銃を使う傾向は低かったが、このコロナ禍で所持率が高まったといわれている。

カリフォルニア州では１９９２年にロサンゼルス暴動を経験している。アフリカ系住民の失業率の高さや韓国系住民によるアフリカ系住民への蔑視など、マイノリティ同士の対立や、人種問題を根源とする複雑な問題を表面化させた。このとき韓国人は自己防衛のため武装保安隊を組織したが、当時の中国系コミュニティは組織がなかったために、黒人暴徒に狙われたという苦い経験をした。

彼らの読みは的中した。主要なターゲットにこそならなかったが、この暴動では中国人にも被害が及んだ。デリバリーの仕事の最中にデモ隊に攻撃され重傷を負った留学生や、店内の商品を略奪された食品雑貨店のオーナーもいた。根深い人種差別問題を目の当たりにし「米国に存在するのは虚偽の民主だ」という声も上がった。

警察はほしいままに黒人の命を終わらせる

米国では、白人の警察官が一般市民の黒人を問答無用で銃殺することは珍しいことではない。34年にわたりミネアポリスに在住する佐治龍哉氏は「人種差別と拳銃の所持は、米国が抱える最大の〝闇〟だ」と語る。白人の警察官が黒人を殺害しても、有罪となる確率は非常に低い。

一部では警察との和解の動きが見られたが、市民に暴力をふるい続けた警察官もいた。左目が腫れ上がり、額に大きな傷を負った女性は「自分の国の市民を傷つけるこの体制と政府をなんと言うべきか」と嘆いた。別のアフリカ系の男性は「この国には依然として奴隷制が残っている、別の政治システムが必要だ」とカメラに向かって叫んだ。

逃亡する暴徒を追って住宅街に入り込んできた州兵は、これを撮影しようとスマホを向けた一般住民に向けて発砲した。武器も持たない市民を力の限りに突き倒したり、何の警告もなく催涙スプレーを吹き付けたりした警察官もいる。当局の車両のタイヤに巻かれて何メートルも引きずられた市民もいた。

トランプ大統領自らが暴力的だった。5月29日、トランプ大統領は「略奪が行われれば軍と警察が発砲する」と自身のツイッターで表明した。デモの抑え込みは強硬化し、警察車両の行く手を阻む群衆に市警の車両が突っ込むなど、人の命を軽んじることに対する抗議運動であるにもかかわらず、警官による市民への暴力は依然として繰り返された。

筆者のもとには米国の友人から続々と動画が送られてきた。路上で、住宅地で、ショッピングセンターで、ガソリンスタンドで——。いずれも警察や市民が「自分の敵だ」と思う相手を、いとも簡単に銃で撃ち抜くシーンだ。さっきまで生きていた人間は次の瞬間には動かない。そんな恐ろしいことがこの国では「取るに足らないこと」になっているのだ。

前出の佐治氏はこう話す。

「私も銃を買おうとしたことがあります。店員に『慌てると命中しにくいから、購入するなら散弾銃がいい、緊張してあたふたしても絶対に命中するから』と言われました。そして、『2発目でそばに近寄って頭をぶち抜け、生かしておけば後遺症をめぐって訴訟問題になる』とも。その言葉を聞いて、私は銃の購入を断念しました」

銃の保持については常に米国でも社会問題となっているが、米国合衆国憲法修正第2条は、人民が武器を保有し、携帯する権利を認めており、また利益団体による強力なロビー活動が存在することから、いまなお市民生活から武器はなくならない。

デモの混乱の中、若いアフリカ系の男性がSNSに数十分にわたり自身の意見を投稿した。自撮りの動画は、大きな背景にロックダウン（都市封鎖）があることを伝えている。

「この暴動の背景には新型コロナウイルスがある。隔離時間が長く、失業率が上昇し、誰も将来が見通せなくなった。多くの人が収入を失い、企業も破綻した。これが激しい略奪を生んだ」

当時米国では、コロナによる死亡者は10万人を超えていた。中でも老人、貧困者、マイノリティが高い割合を示している。そんな中で、ジョージ・フロイドさんの死亡事件が最初に駒を倒し、それがドミノ倒しとなって日頃の鬱積に火が付いたというのだ。

「世界がコロナと闘っているとき、黒人たちは人種差別とも闘っていた。警察も命の危機にさらされているとよく聞くが、その警察もほしいままに黒人の命を終わらせる。問題は、警察による殺人が取るに足らないものだということだ」（同）

新型コロナは、まさに米国の「自由と民主」を直撃した。

「自由」以上に「生存」すること

中国政府も中国人も、米国の混乱に無関心ではいられなかった。中国外交部の報道官は記者会見で「黒人の命も命である、米国のマイノリティが受けている人種差別は社会の宿痾だ」と述べた。また、人民日報系列の「環球時報」の編集長である胡錫進氏は、５月29日、自身のブログでこう発信した。

「米国のコロナの死亡者10万人（当時）は、老人、貧困者、マイノリティだ。今回の暴動事件も、米国の絶望的不平等を明らかにするものだといっていい」

中国の国民が共有する価値観は、西側諸国が重んじる「自由」や「民主」とは異なる。中国における価値観は、それよりももっと根源的なものだといっていいのではないだろうか。自由な状態でいるためにはまずは家族がお腹いっぱい食べられること、何より生存を続けられることが必要である。農民が人口の４割以上を占める中国で、多くの国民が求めているのは「食べられることの権利」であり、「衣食住が満たされる権利」なのだろう。

「人間は命あってこそだ」という考えを持つ中国の国民からすれば、コロナ禍の米国はあまりにも悲惨だった。それとは対照的に、「中国の政治は、金持ちだろうが貧困者だろうが区別なく救済した」と、多くの国民が留飲を下げた。

「米国は民主をすべてに優先する価値だとしながらも二面性が存在する」――、それがコロナ禍における中国の学者や評論家に共通する見方だった。「環球時報」編集長の胡錫進氏は「2019年から1年にわたり騒ぎが続いても軍隊は出なかったが、トランプ大統領はミネソタが3日騒いだら銃を発砲させ威嚇した」と、同じ暴動に対する共産党中国の出方、民主の米国の出方を対比させた。

亜細亜大学教授の範雲涛氏もまた「香港のデモ隊を自由と民主の戦士だと褒め称え、自国のデモ隊を暴徒呼ばわりするトランプ流のダブルスタンダードは、残念ながら中国人の失望を買いました」とコメントする。

1776年の独立宣言で「すべての人間は平等に造られている」とし、生命、自由、幸福を追求する権利を掲げた米国は、中国人にとっても憧れの国だった。だからこそ、財を成し、我が子を留学させ、自らも米国移住というゴールを目指した。多くの中国人に希望を与えた米国の「民主と自由」だったが、それが失望へと変わる。海外の中国人が加わるグループチャットでは、こんなコメントが流れた。

「我々は米国の民主と自由を敬慕したものだった。その米国は果たして今後も世界の中心でいられるのだろうか」――。

世界の頂点に立つ米国が見せた〝民主国家の別の顔〟に中国大陸の人々や在外の華僑・華人が絶句した。

シンガポール「連合早報」に掲載された「民主」「暴動」の風刺漫画。中国語圏のＳＮＳで拡散された

3-2 中国も民主を取り入れようとした時代があった

上海で関心が向けられなかった人民代表選挙

かつての中国では、官僚登用のための試験制度「科挙」が存在した。「(試験)科目による選挙」ともいわれ、試験と選挙の2つの機能を併せ持っていた。現代中国史の研究者であり、『中国歴代政治得失』の著者である銭穆《チエンムー》氏によれば「試験は客観的かつ公平な標準により人を選ぶという、極めて民主的な方法である」という。中国には一定の条件を満たしたエリートが代表者となり、政治を動かしてきたという歴史があり、それは今なお変わらない。

現代の中国では、全国から選出された約3000人の代表者が参加する「全国人民代表大会(全人代)」が毎年1回(3月、今年はコロナウイルスの影響で5月)開催され、「多数決」で立法権を行使する。「日本の国会に相当する」とよくいわれるが、全人代は行政権・司法権・検察権までも集中させる国家の最高権力機関である点が日本とは異なる。

約3000人の代表は、省・自治区・直轄市・特別行政区の人民代表大会と、人民解放軍から選出された代表によって構成される。小さな市や区、郷、鎮などの基層レベルでは直接選挙が行われる。基層レベルの当選者が省級レベルの代表を選び、それらが3000人の全人代の代表を選出するといわれているが、実際には内部による指名で選ばれている。憲法上では全人代が最高の国家権力機関とされているが、全人代とその代表は国民の意思を完全かつ真に反映しておらず、実際には共産党がこれを支配している。

「当時、この人民代表大会を西側の民主政治に近づけるべきだという声がありました」と語るのは、愛知大学名誉教授の加々美光行氏だ。１９８０年代から90年代にかけて日中間を頻繁に往復していた加々美氏は、基層レベルで行われた人民代表大会の選挙集会をたびたび観察し、多くの有権者が熱心に演説に耳を傾けているシーンを目撃している。

「欧米の民主主義を理想とした政治制度に、当時は中国国民の多くが関心を向けていた」と加々美氏は話す。１９８９年5月30日、天安門広場には自由の女神像までも設置され、学生を中心に民主化要求を行っていたが、事態は6月4日の武力制圧（天安門事件）になだれ込んだ。加々美氏が「中国に民主主義を根付かせるとすれば、全人代を直接選挙に代えることだという期待感がありましたが、趙紫陽氏の失脚とともに消えてしまいました」と話すように、政治の民主化の希望や夢は一気に崩壊した。

その後、「民主化」という言葉はほとんど聞かなくなった。筆者は１９９０年代後半から上海で生活を始めたが、もともと政治に対する関心が薄い土地柄もあるのか、誰もが「お金の話」で頭がいっぱいだった。２０１１年11月16日、その上海市の15の区と県で5年に一度の人民代表選挙が行われた。上海市でも一部の区や県の代表は市民が直接選ぶことができるのだ。

その日の夕刊には、新選挙法に基づいて人口比例で候補者を立てたこと、女性の候補者の比率が上がったこと、またシステム導入によって選挙登録がスピードアップしたことが取り上げられ、選挙がつつがなく終了したことが伝えられた。

上海では選挙のひと月前ほどから、アパートが建ち並ぶ住宅地に赤い横断幕が張られるようになった。さすがに日本で行われるような選挙カーによる演説もなければ、候補者のポスターが貼られることもないが、唯一この赤い横断幕が、選挙日の到来が近いことを告げていた。

しかし、この選挙自体を「単なる形式上のことだ」と割り切る市民は少なくなかった。すべては共産党にとって都合のいい方向に進められることがわかっているからだ。上海では選挙の話題に盛り上がりはなく、完全に〝冷めた雰囲気〟だった。

「選挙に行っても、世の中変わらない」

投票前夜、筆者は何人かの熟年婦人に「明日は投票に行くのですか」と訊ねたが、その反応は異口同音にして「行くわけがない」というものだった。そのうちの一人は、選挙に関心がない理由を「選挙に行っても、世の中は変わらないから」と語った。

中国の選挙法では「10人以上の有権者の推薦があれば候補者になれる」というが、最終的に名簿に記載される候補者は、当局の審査を経なければならない。代表者として選ばれるのは「共産党にとっての優秀分子」であることは分かりきっている。党のポリシーを貫き、共産主義の思想と「中国の特色ある社会主義」の信念のもと、マルクス・レーニン主義、毛沢東思想、鄧小平理論と「三つの代表」思想を学習している者こそが選ばれるべき代表なのだ。

上海では、希望する人物が候補者にはなり得ないことはわかっているだけに、一票の権利があったとしても行使しないという空気が支配的だった。実際、閔行区のある小区（複数のアパート群を持つ住宅地）では「集団棄権」というような状況が起こっていた。住民の投票のとりまとめ役をする張さん（仮名、当時59歳）のもとには、こんな伝言が殺到した。

「明日の投票はあなたにお任せします。好きな候補者の名前を書いていいです」

この直接選挙は、上海市内の各区の代表者を選出するものだった。「小区」や、小区を管理する「社区」、社区を管理する末端の行政単位の「街道」ごとに選挙が行われる。張さんは自分が住んでいるアパートの１～６階の住人をとりまとめる係だ。しかし住民の関心は低く、ほとんどの住人は自らの権利を張さんに委譲した。

一方、虹口区の某選挙区では、11月14日夕刻に候補者４人が姿を現し、それぞれ演説を行った。水資源や環境が専門だという候補者もいれば、専門学校卒で地元の銀行で働いている候補者もいる。専門技術者や工場労働者、農民なども含めて、広く各業種から代表を選出させたいという考えが根底にはあるようだった。

演説会は広く一般市民を対象にしたものではないため、候補者情報が浸透せず、一般市民からすれば「誰に投票すべきなのかよくわからない」というような状況だった。

演説会に参加したという女性は、「候補者には、少なくとも年に2回は、私たち一般市民と交流を持って欲しいと要望しました」と語った。この頃の上海は、物価高や住宅価格の上昇、医療費の高騰や失業者の増大など、生活者を圧迫する問題が山積みだった。

仮に今、中国で民主化が進み、国民全員に選挙権、被選挙権が与えられたら、どんな事態になるのだろうか。そもそも中国は、日本の12倍の人口と26倍の国土面積を抱える大国である。こうした条件だけ見ても、収拾がつかなくなってしまうことは容易に想像がつく。

「中国で民主化を進め、自由度を高めるのは危険だ」とする研究者の声もある。シンガポール国立大学リー・クアンユー公共政策学院の院長でもあり、元国連大使のキショール・マブバニ氏は「中国共産党は、社会に不満を抱く青年たちによる〝憤青軍国主義〟の暴走を抑え込んでいる」（2015年、ハーバード・ケネディースクールでの演説）とし、現時点での民主化は危険をはらむと指摘している。

住民にとっても都合がいい「トップダウン」

中国が新型コロナウイルスの封じ込めに成功した理由の１つに「住宅管理」がある。中国では、一団の土地に集合住宅を複数棟建設し、周りを塀でぐるりと囲んで「小区」という単位を形成する。高級マンションともなれば、「××花苑」「△△豪庭」などと洒落た名称がつく。数百人単位で構成されるこの小区は、住民を管理するための最末端の単位でもあり、中国のコロナ封じ込めが成功したのも、この小区が外出自粛など住民行動を徹底して管理したからにほかならない。この小区を管理するのは「社区」、社区を管理するのは「居民委員会」である。居民委員会は日本の〝町内会〟にも近いが、それ以上は行政の区分となる。居民委員会を指導するのは行政の末端組織である「街道弁事処」であり、その上の組織は「区」、さらに「市」となる。

建国以来、国民の勤務先はすべてが公営企業だったため、所属する企業（「単位《ダンウェイ》」）がそれぞれ国民（従業員）の管理・監視を行ってきた。しかし、改革開放政策の導入により、郷鎮企業や民営企業が現れ、さらに外資との合弁企業が増加するに従い、国家管理システムであった「単位管理」が限界となる。そこで、国民管理のシステムは住民管理のシステムに移行し、「単位」に代わって「社区」の管理システムが都市部を中心に構築され、１９９０年以降、全国的に展開された。つまり、「勤務先による従業員の管理」は「居住先による住民の管理」に転換を遂げた。

社区は「コミュニティ」と訳され、自治と責任が求められるともいわれている。社区は、中央政府に集中した権力を地方に分散させる必要性から制度化され、住民の間に発生するもろもろの問題解決と、住民へのサービス提供を目的にしており、社区のあり方は、中国の政治制度改革の行方を占う上でひとつの指標になるとさえいわれた時代があった。２０００年代初頭には中国全土に15の「モデル社区」ができ、当時の朱鎔基首相は「社区は新たな社会福祉システムの基盤になる」と期待した。また、欧米の多くの研究者も、都市部における「草の根の政治改革」の象徴として社区の発展を注視した。

こうしたことを背景に、社区では「自治」が求められるはずだった。しかし、市民がボトムアップの力を発揮させることにはならなかった。社区のトップは住民による選挙で選ぶことにはなっていても実際は上からの指名制であり、意思決定もまた〝扉の内側〟で行われた。相変わらず、居民委員会によるトップダウンでものごとは進められた。

２０１３年当時、筆者の友人が住んでいた住宅の小区の管理は、問題が山積していた。秩序なきパーキング、犬の放し飼いや糞の放置は当時誰もが頭を痛めていた。窓から下を見下ろせば、上階の住人による投げ捨てで軒下はゴミだらけ、隣家の勝手な建て増し行為で朝から耳をつんざく工事の大騒音と、住民のやりたい放題だった。

自分たちが選んだリーダーのもとでルールを作り、住民がこれに従って住みよい居住環境を作る――そんな「自治」からはほど遠いのが実情だった。
筆者はこの小区に長年住む定年退職者（当時60歳）に意見を求めた。するとこんな回答がきた。

「我々がやらなくても、街道（社区を管理する行政組織）が解決してくれるから」

民主的な自治が制約されてきた中国で、市民からすれば悲願の「住民自治」だと思っていたが、決してそうではなかったのだ。しかも驚いたことに、住民にとってこれらは「面倒くさいこと」に過ぎなかったのである。
同じ小区の住民とはいえ、上海人はもちろん、外省からの移住者もいれば、外国人も住んでいる。育った環境も違えば、受けてきた教育も異なる。これら住民の中からリーダーを選出し、公正公平なプロセスのもとで自治を実現することは至難の業だ。時間も費用もかかる民主的な方法よりも、一党独裁のトップダウンのもとで物事がさっさと決まって行く方が、政府にとっても住民にとってもありがたいということなのか。
２０１３年から数年の月日が流れた現在、上海における小区のゴミ問題は、行政の指導による強制分別とスマートフォンを活用したＩＴ管理で解決が図られている。

全国から人が集まる2019年秋の上海ディズニーランド。若い人が「秩序」を意識するようになり、2016年の開業当時に比べマナーが向上した

3-3　中国でもヒューマンな政治がじわじわと進んだ

かつて中国が経験した「民主的」な村づくり

民主的であろうとすれば、その代償となるのが「時間」である。「息の長い取り組み」といえば、日本では団地の再生プロジェクトもひとつの好例だ。日本の団地は一時期、建物そのものの老朽化が問題となったが、入居世帯の高齢化で建て替えが難しいと報道されたことがあった。中には自治会すらなく、建て替え以前に自治会の復活から着手しなければならない団地もあった。

建て替えを経て、理想の居住環境を実現するには、事前に居住者の要望を取り入れ、計画に反映させる必要がある。それには準備委員会を組織し住民の考えをまとめていかなければならない。準備委員会の発足にこぎつけるだけでもかなりの時間と労力を費すが、「団地の建て替え」は生活づくりであり、関係づくりでもあるだけに、こうしたプロセスは省くことはできない――それが私たち民主主義の価値観である。

国も個人も効率を重視する中国の場合、時間とお金ばかりかかる「民主的な自治」は非効率だと解釈される。しかし、そんな中国も「民主」に対して真摯に向き合おうとしていた時期があったことはあまり知られていない。

それは1990年代のことだった。今となっては信じられない話なのだが、当時の中国で「住民参加型の村づくり」の実験が行われたことがある。その実験は江西省のある村でドイツの協力により行われたもので、すべての利害関係者との対話を繰り返し、「共同認識の基盤の上に行う政策決定」を主眼に、農村地区における持続可能な土地利用計画の実施を目指すものだった。資料には詳細が書かれていないが、ドイツによる対中ＯＤＡプロジェクトだったと推察される。

これは当時の中国にとって〝目から鱗〟のプロジェクトだった。中央政府が国土利用計画を決定し、地方政府が利用目標を設定するという「上から下」へのトップダウンが通常だとする中国で、下の意見を聞いて上が動くなどというやり方は、ほとんどあり得ないことだったからだ。

息の長いプロセスを踏むドイツ型村づくり

1996年5月、江西省のいくつかの県で始まったこの「農民参加型」のプロジェクトは、99年にその第一段階の工程を終えたのだが、まずは農民たちへの要望のヒアリングと計画の立案から始まった。

土地利用の現状はどうなっているか、どんな改善が地元住民に望まれているか、あるいは望まれていないか、どのように改善したらいいか、その最適な選択は何か。また、どうやって、いつ、誰がこの改善計画を実施するのか――そんな息の長いプロセスを踏む。

筆者は幸運にもこのプロジェクトに関わった中国人の学者のひとり、Ｙ教授に面会することができた。Ｙ教授は次のように回想する。

「このプロジェクトを実施するに当たり、まずは農民たちへのヒアリングを行いました。けれども農民たちは、外から来た見ず知らずのスタッフ（中独混合部隊）に最初は困惑しました。自分が意見を言うことなど、これまでの日常にはなかったことだったからです。ところが日が経つにつれて、農民たちも少しずつこの計画の意義を理解するようになり、意見を述べるようになりました。その後、農民たちは主体的に地方政府の役人とコミュニケーションを持ち、自分たちの要望を反映させるために縦割りの行政部門を足繁く往来し、役人もまた農民たちと関わることの重要性を理解するようになりました。これまでは『上意下達』で強制執行をしてきた役人にとって、農民たちと対等目線で関わることは初めての経験ともなりました」――。

プロジェクトの期間中、問題になったことがあった。それは、「膨大な時間」と「高額なコスト」の2点だった。「参加型の村作り」は、これに関わる人材への事前トレーニングを必要とし、なおかつ農民たちとの対話においても長時間の粘りを必要とするものだったからだ。

興味深いのは、このプロジェクトが「人材資源の開発」に強く結びついていることだった。最終的には、環境保護を優先し、総合的な土地資源管理の中で農村を発展させ、農民の生活を向上させることを目的にしているのだが、最大の重点を「人を育てること」に置いているのである。そのため、結果や成果もさることながら、プロセスが大変重要視された。このような人材育成から始めるアプローチは、ドイツと同様に経済協力開発機構（OECD）の開発援助委員会（DAC）に加盟する日本の政府開発援助（ODA）も同じだろう。

民主的プロセスが普及しない中国

1990年後半に行われたこの「住民参加型の村作り」は意義ある大実験だが、その後、中国各地に普及したのだろうか。Y教授は残念そうに首を横に振り、「コストと時間がかかり過ぎることが欠点とされ、普及するには至りませんでした」と答えた。

やはり、中国において「コスト」と「スピード」は、すべてに勝る価値だったのだ。これを重視する中国にとって、ドイツ流の気の遠くなるような、根本的改善を伴う作業は不向きだったのだ。人口の多さや民族性の違いもあり、結果として「民主的プロセス」の実践は断念せざるを得なかった。西側先進国のモデルである民主主義は、中国の国情には合致しなかったのである。

しかし、このプロジェクトには後日談があった。

「あのとき関わった役人たちはその後、散り散りになり、別の土地に転勤して行きました。ところが、彼らはプロジェクトで得た知識とノウハウを転勤地で発揮したのです。農民たちも自信をつけました。プロジェクトでの体験は無駄になるどころか、新たな土地で芽を出すことができたのです」（Y教授）

専制政治による強烈なトップダウンのもとで、中国はわずか30年程度で沿海部を中心に発展を遂げ、大都市の居住者は日本人を上回る所得を得、生活の豊かさを実感するようになった。とはいえ、まだまだ多くの低所得者層が存在する中国で求められる価値観は「最も速いスピードでの衣食住の充実」だ。プロセス重視の西側の民主を求めたくてもそうはできなかった中国の事情が、この事例から読み取ることができる。

社会改革が最重要課題に

改革開放から40余年、中国は経済の市場化、グローバル化とともに劇的な変化を遂げ、また、中国の社会主義そのものも大きな変化を遂げた。毛沢東時代の革命段階においては独立した主権国家の建設に目標が置かれたが、鄧小平の時代になると、貧困から脱することが目標になった。鄧小平は、先に豊かになれる者を富ませる「先富論」を掲げ、経済の市場化に向けて走り出した。１９９０年代から２０００年代にかけて、人々はがむしゃらに働き、あらゆる手段を使って富を掴もうとした。生活が一変して富裕になったのもこの時代だったが、収入格差、環境破壊、道徳欠如、官僚の腐敗が生まれたのもこの時代だった。

「これほど経済が発展しながらも、政治は旧態依然とし、そこにねじれが存在している」――とは、日本の中国研究者が常に提起するところで、経済面では多くの領域で「最先端」を走りながらも、政治改革が追い付かない中国の実態が長らく指摘されてきた。

その一方で、現実の中国社会は少しずつではあるが変わり始めている。２００７年の中国共産党第十七回全国代表大会（十七大）では、２００２年の十六大で掲げた「小康社会（ややゆとりのある社会）の建設」を目標として受け継ぎながらも、「和諧社会（調和のとれた社会）の実現」が加えられた。社会改革を最重要課題とする新たな潮流が生まれたのである。

まさに胡錦濤政権（２００３～13年）から習近平政権にかけての中国社会では、「人間性を重んじる」あるいは「人民本位」という意味の「以人為本」というキーワードが重視されるようになった。また、ヒューマニゼーションという意味を持つ「人性化」という言葉も社会の中で頻繁に使われるようになった。一人一人の立場に立った政治や社会が強く求められるようになったのである。中国では２００８年から新たな労働契約法が施行されたが、働く人々の権利が以前よりも重視されるようになると、経営者も「主張する労働者」を相手に顔色をうかがわざるを得なくなった。こうしたところにも時代の変化が伺える。

もとより、中国共産党には「民衆路線」という考え方がある。「民衆の中から起こり、民衆の中に帰る（从群衆中来，到群衆中去）」は毛沢東の言葉だが、中国には欧米型の民主主義こそないものの、政治の決定は民衆の意向に従うべきだという民本主義があり、これが中華思想の根幹だといわれている。

中国にもある民主や自由という価値観

欧米型の民主や自由はないが、中国流のそれはある――。２０１2年11月8日、中国共産党中央委員会の胡錦濤総書記が、中国共産党第17期中央委員会を代表する報告書で、社会主義の核心的価値観についての基本内容を初めて公表した。国レベル、社会レベル、および個人レベルに分かれ、合計24文字で記される価値観には「民主」や「自由」の文字が見て取れる。

■国家レベルでの価値の目標：富強、民主、文明（より高い文化を持つ社会の状態）、和諧（調和）
■社会レベルでの価値の方向性：自由、平等、公正、法治
■個人レベルでの価値基準：愛国、敬業（仕事を大切に思うこと）、誠信（誠実さ）、友善（善隣）

中国ではこうした価値観を積極的に実践することを提唱している。2016年12月19日、「人民日報」は社会主義の核心的価値観の定義について発表したが、「民主」については次のように示されている。

「人々の民主主義は社会主義の生命であり、民主主義がなければ、社会主義の近代化もあり得ない。我々が提唱する民主主義は、誰もが平等な政治的権利を享受できるように、ハードルがなく、財産、地位、民族、性別、宗教などによって制限されない真の民主主義である。それは幅広い民主主義であり、少数の利益の保護により大多数の利益を犠牲にすることはない。同時に少数の人々を尊重し、すべての当事者の希望と利益を十分に反映し、調整を行う。それは、人々の意思を真に包括的に反映するだけでなく、実際の問題を解決するために、統一された意思と行動をできるだけ速く形成することを約束する、効率的な民主主義である。民主的民主主義には、選挙における民主主義だけでなく、話し合いによ

る民主主義と草の根の民主主義も含まれる。これにより人々は、法律に則った民主的な選挙、民主的な意思決定、民主的な管理、および民主的な監督を実施することが保証される」

統一された意思と団結をできるだけ早く形成することを約束する効率的な民主主義——というところに、〝中国流〟が現れているといえるだろう。まさにこの章で述べた「効率を優先するあまりドイツモデルを受け入れることができなかった」という事例と重なる。

また、「自由」については次のように示されている。

「我々が提唱する自由とは、少数の人の、形式的な、また偽善的な自由ではなく、大多数の人々にとって実質的かつ真の自由である。社会的利益を無効にする絶対的な個人の自由ではなく、法の規制を受け、権利と義務が対等である自由であり、発展段階と現実の受け入れ能力を超越する自由ではなく、経済社会的の発展条件と両立する自由である。社会主義の自由とは、物質的な生活の向上を追求することだけでなく、人々が自分自身を成長させ、実現する機会を十分に享受し、誰もが人生で成功を収め、夢を実現できるようにすることである」

こうした解釈からも中国の「自由」は、制約を伴う自由であることがわかる。また、「発展段階」という言葉が出てくるが、中国は発展段階に応じて自由を解放してきたことも伺える。例えば、職業選択の自由や移動の自由というのがそれである。過去において、中国では自由な職業の選択と自由な移動は厳しく制限されており、転勤などの理由で、自宅を離れることができる人はごく少数に限られた。地方の農民などは、生涯にわたって農業に従事するのが一般的だったが、今や農民たちは農業生産だけにとどまらず、故郷を離れて仕事に就いたり、商売をしたりと、自分に合ったさまざまな職業に従事することができるようになった。労働者も同様で、かつては退職するまで同じ仕事に従事しなければならなかったが、その必要もなくなった。他の自治体に移住し定住することさえ可能になるどころか、海外移住までできるようになった。

かつて上海に赴任し、現在も日中間を往復する企業経営者の杉本希世志氏はこう捉えている。

「日本人が思うほど、中国人は自分たちの自由が絞めつけられているとは感じていないようです。先進諸国の人々と比べれば不自由なのかもしれませんが、『不満のマグマがたまるほどの不自由さ』ではなく、人々も『こんなものだ』と割り切っているところがあります」

確かに中国の自由化は進んだ。だが日本にはこれ以外に、思想、信教、学問、集会、結社、表現の自由を含む「精神的自由」や、不当な拘留を受けない「人身の自由」があるが、中国の自由はこの域には至っていない。段階を経てステージを上げていくのが中国のやり方だとすれば、いずれこうした部分についても解放される日が来るのだろうか。

ちなみに、富強、民主、文明、和諧、自由、平等、公正、法治、愛国、敬業、誠信、友善の24文字の核心的価値観は、２０１０年代後半から、町の至る所に掲示物として掲げられるようになった。

今から約１００年前の１９１９年、抗日、反帝国、反封建主義を唱えて中国各地で「五四運動」が繰り広げられたが、２０１４年５月４日の95周年という節目に、習近平国家主席は北京大学で記念講演会を行い、「五四運動は愛国、進歩、民主、科学の精神を形成し、中国共産党の設立を促した」とし、「民主」を含むこの４つのキーワードについて、「今なお実践する必要がある核心的価値観だ」とした。

この講演で習氏は、『礼記』の「大学之道、在明明徳（大いなる学問の道は、天から授かった徳を明らかにする事が目的である）」を引用し、「国は徳なしでは繁栄せず、13億人と56の民族の間に共通する価値観がなければ国は前進できない」と述べた。習氏は、何千年も続く中国の文明は独自の価値体系があり、社会主義の核心的価値観もそこから学ぶべきだとしている。

こうしたところに、「中国の特色ある社会主義」が目指す「中華民族の復興」は、儒学思想とリンクしていく可能性を見出すことができる。もとより、儒学は実践的思想だといわれているだけに、国のリーダー自らが徳の実践を示せるかは注目に値する。

２０２１年、中国共産党は創立１００周年を迎えるが、西洋で生まれた「自由」や「民主」とは異なる価値観が、次の１００年でどう〝進化〟を遂げるのかは引き続き関心を向けたいところだ。

民衆と政府が響きあう「上下来去《シャンシャーライチー》モデル」

上海は、中国全土に先駆けて急激に中間層の厚みが増した都市の１つだ。胡錦濤時代の上海では、民衆はもはや〝政府の完全トップダウン方式〟を受け入れなくなっていた。こうした変化が公共政策にも現れる。

２０１１年１月、上海は住宅価格の激しい高騰を背景に、中国で初めて「房産税（不動産税、日本の固定資産税に相当）」の試点に指定された。「試点」とは「政策実験」を意味する。局部的な政策進行から始めて民衆の意見を求め、これをトップが吸い上げ、精査して練り上げた完成版を全面的に広げるプロセスである。今でこそ、この「試点」という言葉は中国全土で使われているが、これは「上（政府）」と「下（民衆）」が互いに影響しあうという意味で

「上下来去《シャンシャーライチー》モデル」といわれている公共政策の1つである。

それは、実際の状況に基づいて、政策執行のプロセスを講じるというもので、ベースにあるのは、事実に基づいて真理を検証するという「実事求是」という中国共産党の根本思想だ。民衆の心情をよく観察した上で政策決定し、政策施行後も再び民衆の中に戻り、これらの政策が彼らの根本的な利益に合致しているかを確認する、それがあるべきプロセスだというのである。「中国は独裁国家、トップが独断で決める」と思われがちだが、実はかなり民衆に気を遣っているのだ。

富の再分配を進める意味でこの房産税導入は大きな意味があったが、この税金に対する市民の反応はよくなかった。その最大の理由となったのが、「中国では土地は国家のもので自分たちは使用権しかないにもかかわらず、なぜ住宅の所有に課税されなければならないのか」という根本的な矛盾だった。また、これまでの一刀両断の措置とは異なり、至る所で〝手加減〟が見えた。「過去に取得した住宅には遡及しない」としたため、富裕層の不動産所有は相変わらず無税だったり、「結婚のための新規取得」の場合は免税とする例外を設けたり、というのがそれだ。

この政策の目的は住宅価格の上昇を抑え込むものだったが、政策導入の当初はまったく期待外れな結果となってしまった。それでもこの「試点」は、政策決定において民衆への配慮を含むプロセスを踏むものとして、現在では多くの取り組みにおいて活用されている。

「強制立ち退き」はいまだ各地で繰り返される現代中国の悲劇の1つだ。山東省では地方政府が「合村并居《フーツンビンジュウ》」という政策のもと、2019年から新型農村コミュニティの建設を始めたが、2020年6月、ある村で立ち退きをめぐって地方政府と村民が激しく対立した。村民の猛反対は、街道（行政の末端組織）の職員との間で肢体衝突を起こす一大事に発展、これを重く見た街道と区政府は聞き取り調査を実施した。その結果、区政府は再開発プロジェクトを凍結させたのである。

村民が取り囲む中で、区長は一連の顚末を詫び、和解を求めた。区長を取り囲む農民が固唾をのんでその発言を見守る。「もう立ち退かないでいい」と言う区長の声に、緊張した農民たちが安堵の表情を見せる――そんな動画が中国のネット民の間で拡散した。

今なお〝開発一辺倒〟を続ける地方政府は多く、それに泣き寝入りをさせられる農民は多いとはいえ、この区長は住民ありきの姿勢を示し、開発のゴリ押しにストップをかけたのである。こうした立ち退き事件はあちこちで頻発したことから、山東省政府は記者会見を開き、「民衆の気持ちを尊重し、強制的な一刀両断の命令はせず、大規模な立ち退き、大規模な建設も行わない」と声明を発表した。6月末には同省党委書記の劉家義氏がビデオ会議を通じて、「農民の意見に耳を傾け、決して農民の同意を強制してはならない」と呼びかけた。

かつて中国の農民たちがたどった泣き寝入りの歴史からすると、大きな変化の一端を垣間見ることができる。

シンガポール国立大学東アジア研究所所長であり、『中国模式』（２０１６年）の著者である鄭永年氏は同著でこう綴っている。

「『服務（奉仕の意）型政府』に移行することは、中国にとって現代国家になるためのプロセスである。中国は西側モデルのコピーはできないが、このプロセスは避けられない」

中国は、多党制は取らない、三権分立も採用しない、さらにはソ連や東欧が行ったようにいきなり民主化を進めることはないという立場を堅持する。それでも、〝民ありきの道〟は否定していないのである。

「市場経済化やグローバル化と、これだけ大きく社会や経済が変化するなかで、共産党と人民の関係も大きな変化が生じている。にもかかわらず、実質的な変革が遂げられず、そのために腐敗を生み出し、執政能力が衰退してしまった。これを高めるためには党と人民の結合点を探すしかない、それが『民本社会主義』の重要な意義だ」と鄭氏は主張する。ちなみに『中国模式』は中央党校（中国共産党の高級幹部を養成する機関）の教材に指定されている。

もとより中国には「為人民服務（人民のために奉仕する）」という政治スローガンがあるが、

これまで中国の国民は「冗談だろ?」と冷ややかだった。しかし最近、見方を変えた。それがコロナ禍である。感染拡大の最中、中国政府が打ち出す一連の対策を目の当たりにし、多くの国民が党や政府に対する評価を変えた。

もちろん、国民はそのすべてを受け入れているわけではない。不信感は今なお存在し、党や政府に対する恐怖心は依然根強い。それは日常のたわいのない会話にも現れる。私たち日本人はいつでもどこでも誰とでも、自由に政権批判をすることができるのだが、彼らにとってはタブー中のタブーであり、中国政治の話になるとたんに口が重くなる。驚かされるのは、彼らが海外にいたとしても眼には見えない共産党の力に怯えているということだ。

ある中国人弁護士は中国国民の心境をこう代弁する。

「自国の政治に不満を持つのはどの国民にも共通するが、中国国民の不満の大きさは桁が違う。しかし、結果が分かっているので誰も命を賭して闘おうとはしない。その分、食べて、買って、旅行して、と散財に回す。金銭的価値を追い続けるのも『そうするしかないから』です」。

2000年代、中国は確かにいい方向に変化しようとしていた。しかし、2012年に指導者が交代すると、国民に対する監視強化など時計の針が逆回転するかのような後退現象を見せ始めた。

１６６４万人が視聴した動画の中身

近年、ＳＮＳで発信される動画を通して、社会の変化をつぶさに観察することができるようになった。四川省仁寿県で撮影されたある動画に多くの国民が反応したのは、〝嫌われ者のお役人〟が大きな変化を示したからだった。

中国には町の軽微な犯罪を取り締まる「城管《チエングアン》」と呼ばれる職業がある。警察に近い執行力を持っており、日々、町の路上で店を広げる露店商を厳しく取り締まっているが、商品の没収や拘束などを含め、暴力的なやり方が問題視されていた。城管たちの姿が遠くに見えると、客がいるにもかかわらず商品を担いで露店商が雲散霧消する。不幸にして捕まれば、罵詈雑言を浴びせられた上に、商品を蹴散らされたり、没収されたりするなどの、手ひどい扱いを受けるからだ。底辺の生活者になるほど、威張り散らす城管を嫌っていた。

その動画には、「城管と露店商」の関係の変化が映し出されていた。路上で籠いっぱいのスモモを売る老人のもとに、城管が数人でやってくる。通常ならば、「さっさと消えろ」と問答無用で追い払うところなのだが、この城管は「ここは物を売るところではない」と穏やかに注意を促す。老人は高齢で体が不自由なこともあり、なかなか腰を上げない。城管は老人を諭しつつ、おもむろにスモモの籠を持ち上げ車に乗せた。それは商品の没収ではなく、営業可能な場所への移動を手伝うひとコマだった。この動画はたちまちシェアされ1664万人がこれを視聴し、240万を超える「いいね」がついた。この反響は城管たちの自信にもつながった。

社会改革や政治改革にはIT技術も一役買うだろう。中国は「法治国家でなく人治国家だ」といわれ、裁判は「最初から判決は決まっている」などといわれてきたが、近年はインターネット裁判が進み、地方裁判所であれ最高裁判所であれ、裁判の一部始終がライブ、もしくは保存されたネット動画で視聴できるしくみが確立している。

2016年7月から稼働を開始した「中国庭審公開網（中国法廷審問公開ネット）」は、すでに940万件（2020年10月7日現在）の裁判がライブで公開され、アクセス回数は実に287億件に上っている。

日本では基本的に誰でも裁判を傍聴（希望者多数の場合は抽選）できることになっているが、中国では一足飛びに「ネット動画公開」に踏み切った。裁判官の判断プロセスや証拠調べの様子をつぶさに伝え、遠隔地や外国に住む一般大衆であっても一部始終を確認できるという衆人環視的な透明性を備え始めた。

インターネットは共産党の意のままに統制ができ、操作が可能だという弱点こそあれ、中国社会は、SNSでの動画配信、アプリなどのITツールやビッグデータを活用しながら、これまで困難だといわれ続けた改革を推し進めていくのかもしれない。

「社会主義の核心的価値観」を掲げるバス広告

3-4 中国のコロナ復興策ににじみ出た「生活者重視」

営業補償もない中国の生活者の厳しさ

新型コロナウイルスの感染が拡大した2020年4月、日本では店舗や企業の営業補償をめぐる政府対応についての報道が続いていた。実はこうしたニュースを複雑な気持ちで受け止めていた人々がいた。東京で働く中国人たちもそうした人々の一部だった。中国でも多くの自営業者が事業を失い、多くの労働者が仕事を失ったが、ウイルスが蔓延する最中に中国政府に対して補償を求める声は上がらなかったのだ。

中国の国民が政府に対して強い補償要求をしなかったのは、中国共産党を恐れたからだとも想像がつく。しかし、大連に家族や親戚がいる東京在住の楊さん（仮名、40代）は、「それだけではありません」と言う。

「中国では、飲食店が営業停止を命令されても、事業税などを免除されるのみで、1月のウイルス発生から半年経っても国からの補償や助成金はありませんでした。国営企業の従業員は別として、私営企業や自営業の従業員は給料を貰えないし、国からの賃金補償もない状態にあります。でも、彼らが休業補償や賃金補償を求めずに耐えていたのは、〝まずは命が大切だ〟という認識が強かったからです」

中国におけるコロナ対策としての企業サポートは、当初、増値税（企業に課す消費税）の減免措置や、リストラを行わなかった企業への前年度納付済の失業保険料を半額還付するなどの、社会保険料の負担軽減措置に限られた。

労働者に対しては、仮にコロナを理由に仕事ができなくなっても、給与補償、休業補償、家賃補償はなかった。賃借物件の賃料減免があるとすれば、物件の権利者が国有企業だというケースに限られた。そのため中国の一部の地域で家賃をめぐる減免要求活動が起こった。

〝外出禁止（基本的に自粛だが、事実上禁止に近かった）〟の期間中、中国の人たちは国からの補償がなくても、どうにか生活を持ちこたえることができた。楊さんは「一般市民は、仮に仕事がなくても数カ月は生きていけるぐらいの貯蓄があるためです」と言う。中国の平均貯蓄率が高いのは有名な話で、２００９年以降は世界一位を維持しているが、その理由は、国による生活保障が不十分だからだ。コロナ禍ではまさに日頃の蓄えが役に立ったのである。

中国の人々は貯金を取り崩したり、親元に転がり込んだりしてコロナ対策を講じたが、次第にそれも厳しくなった。東北部や内陸部などの地方生活者は輪をかけて苦しい状況にあった。中国では、飲食店経営や服飾・雑貨の販売で生計を立てる市民が多いが、外出解禁後の店舗に客足は戻らず、多くの人が仕事を失う状況にあった。5月に入るとついに貯金も底を尽き、インターネット上には「私たちの貯金はいつまでもつのか」といった悲痛な叫びが増えるようになった。

夜市こそが「中国の活力」そのものだった

2020年5月28日、全国人民代表大会（全人代）の閉幕後の会見で、李克強首相は「地《ディー》攤《タン》経済」を推奨した。「地攤」とは、地面に布を広げて商売をする「露店」を意味する。李首相は「中国西部のある都市で3万6000台の露店を設置したところ、一晩で10万人分の雇用が生まれた」と、四川省成都市の取り組み事例を示した。

6月初旬には山東省煙台市を視察し、「露店商は雇用の重要な源であり、中国の生命力だ」と称賛すると、この露店経済が全国的なブームとなった。全人代開催中も失業者対策のひとつとして「都市管理の規制を緩めることができないか」という意見が上がっていた。

夕暮れ時にどこからともなく露店商が現れ、路上に大きな夜市が立ち上がる――。中国の大都市ではほとんど見ることも少なくなった光景だが、かつて露店や夜市は「中国の活力」そのものだった。元手も必要とせず明日からでも始められる露店経済は、ポストコロナにおける失業者対策にはうってつけだろう。

中国経済は改革開放以降、本格的な私営化の道を歩み始め、国家は国民に自活の道を奨励した。１９９２年、筆者が中国で初めて取材したのは、鍋で煮た卵などの食品や雑貨を売る庶民だった。自由に物を売買する経済は、庶民の経済に活力をもたらした。自宅の軒先を改良するなどして、雑貨や食品などの物品販売からサクセスストーリーを歩んだ人物には、アリババのジャック・マー氏やファーウェイの任正非氏がいる。

２０００年代になると、都市化の進展に伴って、夜市などの露店市場は邪魔者扱いされるようになった。文明都市の景観を損なう、ゴミで汚れる、衛生的でない、信頼性がない、イメージが悪いなどの理由から、露店や夜市に対する規制が厳しくなったのだ。有名ブランド品のコピーやニセモノが白昼堂々と販売されていた露天市場は「知的財産権の侵害」が横行していると、世界中から非難を浴びたこともあった。露天市場は強制的に立ち退かされ、不動産再開発ブームの高まりとともに、跡地にはマンションや商業ビルが建設された。

市民生活の中心は近代的なスーパーやショッピングモールに取って代わり、近年の上海は見違えるようにきれいになったが、これは露店商の排除と無関係ではない。こうした露店経済を支えたのは主に地方からの出稼ぎ労働者だが、北京や上海などの一級都市は、これら「低端（ローエンド）の人口」と呼ばれる底辺の生活者を都市部から追い出す政策を講じたのだった。

5000万人の雇用問題を解決

2020年6月以降、中国ではにわかに露店経済がブームとなり、失業者のみならず、サラリーマンや富裕層なども自家用車に出展用の商品（例えば高級酒の茅台酒）を詰め込んで参入した。中国のSNSには、ロールスロイスやベンツのボンネットの上に商品を並べた画像などが続々と投稿された。都市部では洒落たマルシェ風に演出する露店スペースも出現し、上海では新たな消費形態としてそれを楽しむ人々がここに繰り出した。

一方で、露店経済は切羽詰まった中国政府がひねり出した〝奥の手〟だったとする見方もある。世界各国から生産の注文が入らず、外資の投資も途絶え、回復の見込みが立たない中で、職を失った国民の急場しのぎの救済にはもはやこれしかなかったというのだ。

中国では2020年第Ⅰ四半期だけでもコロナの影響で46万社が廃業（もしくは営業許可証の取り消し）に追い込まれた（「南華早報」）。中国には私営企業が1500万社あるが、その3％に相当する。

3月、「中国新聞網」は、中国中小企業協会の会員企業についての調査結果を取り上げた。86・5％がコロナの影響について「比較的大きい」とし、うち30％が「特別に深刻」と回答した。「口座にある資金で3カ月持ちこたえられる」と回答した企業は9割だったが、「半年」となるとその数は1割にまで減った。

実際にこの露店経済で救われた日系企業がある。湖北省の縫製メーカーは、日本を含む先進国がコロナ禍で受けた大打撃を要因に、一部製品の輸出が滞り、工場に大量の在庫を抱える羽目になったが、「生産ラインでの仕事を失った従業員にとっては、露店での販売活動が新たな仕事となり、工場の在庫を売り払うことによって当座の困難をしのぐことができた」というのだ。

中国には「都市部で露店経済や農産物市場を開放すれば、５０００万人の雇用問題を解決できる」と主張する政策研究の専門家もいた。ポストコロナの非常時こそ、夜市はこのような人々の生活の手段となるだろうし、夜市をひとつのステップとして生活向上につなげることができる。

この露店経済からは、「まずは民の生活を救うことが中国の最優先課題だ」とする李克強首相の考えがにじみ出る。これを打ち出すにあたり、「人間が生きるためにはまず食べることだ」と訴えた李克強首相は、以前から「一人ひとりが創業者であれ」と「全民創業」の精神を称え、国民の経済的自立を促してきた。中国の伝統社会には「民衆が国の基本」だとする考え方があったというが、現代における中国政治にも、これに近い「国と民衆との関わり合い」が見て取れる。

背後には政治的な確執も

「露店経済」に反対する地方政府もあった。仏メディア「RFI」によれば、北京市は「首都と国家の良好なイメージ形成に不利」だとし、経済の質の発展にはマイナスであるという立場を示した。沿海部の大都市においては、住環境の向上を目指して、道路や公共の場を占拠する営業や無免許・無許可の営業などをここ数年で厳しく取り締まってきた経緯がある。規制を緩めれば、これまでの苦労も水の泡だ。

もっともこの裏には、習近平国家主席と李克強首相の確執がある。6月7日、北京では「北京日報」、「人民日報」、「中央電視台」が「反地攤経済」を掲げ、露店経済に背を向けた（この三大メディアのトップは習近平派だといわれている）。

5月28日の全人代閉幕後の記者会見で、李首相が「中国には月1000元（約1万5000円）に満たない低所得者が6億人いる」と発言したのも確執の一端だ。2020年は中国にとって、小康社会（ややゆとりのある社会）実現の年であり、「農村部の貧困人口は残すところ数百万人であり、公約達成は目前だ」ともいわれていたが、実態が曝け出されてしまったのである。

経済の実務を執り実情を把握している李首相が、過大で実現不可能な目標設定を迫る習主席の要求に応じなかったためだという噂があるが、2020年の全人代は、太子党派閥（習主席）と共産主義青年団（李首相）との間の派閥争いを露呈させるものとなった。

政権発足以来、「国有化経済派」の立場を取る習主席に対して、「民営経済派」の立場を取る李首相の、互いの経済路線は平行線をたどってきた。党が国営企業に介入する毛沢東時代の経済モデルを彷彿とさせる習主席の経済モデルに対し、「リコノミクス」といわれる李首相のモデルは「起業家精神の発展と市場経済」を主張するものであり、中国の改革の実践が現代経済学と一致していることを表している。

ちなみに、共産主義青年団（共青団）は共産主義を学習する教育機関であり、出身者はいわば科挙の試験を突破したにも等しい、選りすぐりのエリートだ。共青団の第一書記には胡耀邦元副総理、胡錦濤元国家主席、李克強首相がおり、和諧社会や国際協調路線を打ち出してきたといわれている。

台湾の夜市に見る救済策

露店経済といえば、台湾を抜きには語れない。いや、台湾のみならず、香港や東南アジアにまで広がる中華圏の庶民文化の真骨頂が露店経済だと言っても過言ではないだろう。

台北市には有名な「士林夜市」を筆頭に17カ所の夜市があり、台湾全土では常設の夜市の数が62カ所にも上るという。名物の「牡蠣オムレツ」や強烈な臭いを放つ「臭豆腐」など、お手頃価格の中華グルメに誰もが舌鼓を打つ。夜市には地元グルメやデザートのみならず、服飾や雑貨も売られており、内外問わず多くの人を楽しませる魅力がある。

今に見る台湾夜市のルーツは1970年代にさかのぼるようだ。一説によれば、当時製造業が盛んだった台湾経済は、オイルショックによる不景気に直面して物が売れず、返品や在庫の山を処分するための叩き売りの場を夜市に求めたともいわれている。もとはといえば、瑕疵のあるB級品や在庫処分品の販路として発達したのが夜市であり、ときに「ニセモノ」が売られているのを目にするのも、こうしたルーツがあるからなのだろう。古くは20世紀初頭に廟の前にできた門前市がその始まりともいわれている。

一方で、問題となるのが夜市を開く場所である。中国では路上を占拠する露店商を迷惑がる市民もいるが、台湾の場合は、空き地を積極的に活用してきた経緯がある。公有の土地や民間が所有する空き地など、景気の変動で増加した未利用地を夜市として開放したのである。背景には、「土地は公共の財であり、利用してこそ価値がある」という考え方があった。

露店の経営者にとっては、店舗の賃料負担という固定費から解放され、身軽に商売ができる。そのため、夜市の屋台営業は失業者の受け皿にもなった。台湾では俗に「屋台で3年頑張れば店を持てる」ともいわれ、夜市は失業者や若者の人生設計におけるファーストステップでもあった。行政側にとっても失業対策の予算取りから解放され、集めた税金の有効活用にもなる。

台湾の夜市はもともと民間から沸き起こった経済活動ゆえに、発展の過程においては衛生面やゴミ問題、公共秩序の乱れなどの問題も生じたが、今では、交通の妨げをしないように、秩序を乱さないように、衛生管理をしっかり行うように――など各自治体が条例を定め、産業発展局が営業許可証を発行するなど本格的な管理を行っている。筆者は２０１９年、「士林夜市」を訪れたが、路上にはゴミ一つ落ちていないのが印象的だった。

台湾の夜市は観光スポットでもあるが、地元経済の活性化モデルでもある。消費者は安価でおいしいものを食すことができ、夜市経営者は儲かり、地元の経済は活性化するという来街者、経営者、地元経済の〝三方よし〟を実現しているという。台湾では夜市経済に関する学術論文も数多く発表されている。

「市」は不変のモデル

筆者は台湾人画家・郭雪湖氏の「南街殷賑《ナンジエインゼン》」（南街のにぎわい）という作品がとても気に入っている。台北市の迪化街《ディファージエ》にある城皇廟の祭りをテーマにした画で、時計店、薬局、飴屋（台湾名物の木瓜糖）、果物売りの屋台など、たくさんの店舗やバナナやパイナップルを売る露店商が美しい彩で描かれている。道行く人々も楽しそうだ。

台湾の民俗や風情を描くことを得意とする郭氏の最高傑作がこの作品だ。「豊かさ」とは、安定した世の中で家族が衣食住を楽しめること――それがこの絵から伝わってくる。これはまさにアジアに共通する価値観ではないだろうか。

中国の古典における経済とは「経世済民」の略語で、「世の中を治め、人民を救う」ことを意味する。日本でも江戸の人々が「凡そ天下國家を治むるを經濟と云、世を經《おさ》め民を濟《すく》ふ義なり」（太宰春台『経済録』・18世紀前半）と学んだ時代があった。経済と聞けば、私たちは株価や為替やGDPの動きばかりを気にするが、言葉の由来は「国民の生活を救うこと」、すなわち国民生活の安定であるということはあまり知られていない。

ごみ問題を克服した台湾の夜市

上海ではマルシェのようなおしゃれな露店が並んだ
（施潔民氏提供）

第4章　ポストコロナで変わる世界

4-1　中国はWHOで世界の絶対的地位を狙う

習近平国家主席は電話フォローに追われていた

新型コロナウイルスの世界的蔓延が深刻になる最中、中国は2020年3月末時点で89の国と4つの国際組織に医療支援を行った。武漢ではまだ封鎖は解除されておらず、国民が感染に怯える中でも、中国はしたたかに「コロナ封じ込めモデル」の世界普及に乗り出していた。

その中国の〝初動〟は驚くほど速かった。中国共産党の機関紙「環球時報」が報じた「ウイルス対策国際協力の記録」（以下「記録」）によれば、2020年1月12日の時点で「原因不明のウイルス」は「新型コロナウイルス」に改名され、15日の時点で「新型コロナウイルス診療方案と感染防止方案」（方案とは実施案の意味）の第1版が発表されたという。中国の感染症の権威である鐘南山氏が武漢入りしたのは18日だが、この日には第2版が発表された。

武漢市ではこの間、市レベルの人民代表大会と政治協商会議が開かれており（7～11日）、その後の4万世帯が参加する「万家宴」という大宴会（18日）という春節前の一大イベントでウイルス対策どころではなく、市民もウイルスの存在すら知らされていなかった。中国人の間でも会議と宴会が感染を拡大させたという認識は強い。習近平国家主席が新型コロナウイルスの重要講話を行ったのは20日のことで、「人から人への感染がある」と発表されたのもこの日だった。23日の武漢封鎖で市民は事の重大さを知らされた。

前述した「診療方案」と「感染防止方案」の発表は、後からでっち上げたのではないかと疑ってしまうほど、実にスピーディーだ。もしこれが事実なのだとしたら、ウイルス発生時点で中国は、この「方案」を中国国内のみならず世界に向けて普及させることを周到に準備していたと思わざるを得ない。

2月上旬、武漢市では連日死者が膨れ上がる中、習近平国家主席や李克強首相は電話フォローに追われていた。「記録」によれば、2月7日には米トランプ大統領と、9日には独メルケル首相と通話し「中国は『国際衛生条例』の要求やWHOのガイドラインをはるかに超えた措置で臨んでいる」と強調した。インドネシア、EU、マレーシア、フランス、英国、パキスタン、韓国、ブラジル、アラブ首長国連邦、エチオピア、モンゴル、キューバ、チリ……。

2月だけでもほぼ毎日のように電話会談が行われた。

日本の外務省ＯＢは「隠ぺいにより５００万人の武漢市民の海外渡航を許してしまった。中国はウイルスを蔓延させたことへの詫びがあるべきだろう」と言い、世界の怒りがここに向けられていることを指摘する。だが、中国とアラブ首長国連邦との電話はウイルス対策の経験を共有するものであり、エチオピアとの電話は中国―アフリカ間のウイルス対策協力強化を呼び掛けるものだった。国際電話の目的は、コロナ封じ込めモデルの世界普及にあるとしか思えない。

3月6日は東南アジア、日本、韓国、イエメン、イラク、イラン、ＥＵなどと中国の臨床専門家の記者会見をオンラインで共有したり、10日は太平洋の島嶼と封じ込めをめぐる技術交流を電話で会議したりしていた。それまで習氏は武漢市の現場に駆け付けることはなかった。コロナ発生後、初めて武漢を訪れたのは3月10日になってからのことだった。

中国は治療方案や感染対策方案を常に更新し、積極的に国際間でシェアした。3月12日にはＷＨＯ（世界保健機関）と共同で「新型コロナウイルス予防対策の中国経験の国際報告会」を開催し、「77カ国グループ」と7つの国際組織の代表者がこれに参加した。

ここに出てくるのが「77カ国グループ」だ。「Ｇ77」と言い換えることもできるこの集団は、果たしてどんな組織なのだろうか。

「77カ国グループ」を束ねる中国

中国とＷＨＯの緊密すぎる関係がコロナ禍で表面化した。ＷＨＯのテドロス・アダノム事務局長が、中国のウイルス封じ込めを「世界は中国に見習え」とばかりにベタ褒めした、という話題は日本のお茶の間にも伝わった。一方、ＷＨＯのメンバー国である「77カ国グループと中国」は「ＷＨＯがコロナとの闘いで果たしている役割は高い」と評価した。互いに褒め称えあう姿はいかにも不自然だが、これから見て取れるのが中国とＷＨＯの一体化だ。

この「77カ国グループ」とは、国際貿易において主導的立場ではない発展途上国が組織する国際機関で、超大国による支配や搾取に反対し、共同で発展途上国の利益を保護しようという集団である。１９６３年の第18回国連総会で共同宣言を出した当時は75カ国グループといわれたが、翌１９６４年の発足時には77カ国となった。中国はこれに加わっていないが、一貫してこの「77カ国グループ」を支持し、「77カ国グループと中国」という形で共同の立場を表明してきた。

２０２０年４月時点で、「77カ国グループ」は１３４カ国に増えた。ＷＨＯには１９４カ国が加盟しているが、この「77カ国グループと中国」が数の上では約７割を占めていることになる。総会は３分の２以上の多数で条約や協定を制定できるが、それを上回る計算だ。米国主導で台湾のＷＨＯ加盟もしくはオブザーバー参加を要求しているにも関わらず、それが実現しないのは、「1つの中国」を掲げる中国がこの134票を束ねているためでもある。WHOは中国の息がかかるどころか、もはや中国に支配されている現状からすれば、中国のコロナ封じ込めモデルが世界標準となり、国際社会において絶対的地位を獲得するのは決して難しいことではない。

アフリカは一日にして成らず

先進国の間では決してウケがいいとはいえなかったコロナ禍の中国の医療援助だが、アフリカには歓迎されている。2020年5月、中国はコロナ対策としてジンバブエ、コンゴ、アルジェリアに医療専門家チームを派遣することを決定した。このとき、外交部長の王毅氏は「アフリカは運命共同体の兄弟であり、民族解放闘争でも中国とアフリカの人民は肩を並べて戦った。エボラ出血熱のときもそうだった」と語り、これに対して、アフリカ連合主席は「中国とアフリカは友人であり、戦友である。この友好関係を変えることはできない」と呼応した。

ジンバブエ、コンゴ、アルジェリアに医療チームを派遣する以前から、すでに中国の医療隊はアフリカ45カ国で活動を行っており、ウイルス対策のためのトレーニングなどを繰り返してきた。また、2000年以降は「中国・アフリカ協力フォーラム（FOCAC）」を開催し、インフラ整備や農業、製造業、中小企業支援を打ち出し、対外援助やインフラ建設などを請け負う「対外請負プロジェクト」を通じて積極的に技術協力、投融資、人材育成などを行ってきた。ＦＯＣＡＣは２０２０年に20周年を迎え、目下、公衆衛生能力を高めるために、アフリカに疾病コントロールセンターを建設しようとしている。

中国がアフリカ外交を始めたのは１９５６年にさかのぼる。１９４９年の建国からわずか7年後、エジプトとの国交樹立を皮切りに、欧米の植民地支配から脱却したアフリカ諸国と矢継ぎ早に外交関係を結んだ。１９５０年代は5カ国、１９６０年代には12カ国、１９７０年代は24カ国と国交を樹立し、現在はエスワティニ（旧スワジランド）を除くすべての国と国交を結んでいる。

「中国的援助」の礎となったのは、１９６３年の周恩来首相（当時）による50日間にわたるアフリカ訪問である。このとき、周首相は米国の記者に対し、「中国は新たに独立した国家に援助を行ったが、何の条件も特権もつけていない」と強調した。援助対象国に援助を行う条件として人権や人道を厳しく求める先進諸国と対比させたのである。続いて１９６４年、中国は対外経済援助の原則としての「8項目」を発表した。この中には、現地の人材に向けての技術移転を進め、専門家を派遣するなど、人的交流についても打ち出されている。中国の医療チームによる援助は、国際赤十字の呼びかけに応じたもので、１９６３年にアルジェリアから始まった。

このとき、湖北省を筆頭に北京、上海、天津、湖南、江蘇、遼寧、長春から24人の医師が招集され、初めての「中国医療チーム」が結成された。興味深いのは、アフリカの国と中国の省や市がそれぞれにカウンターパートを持っている点である。この中国独自のモデル「対《たい》口《こう》支援」は四川大地震など災害時にも、また今回のコロナ禍でも力を発揮した。アルジェリアは湖北省、マリは浙江省、タンザニアは山東省というように、アフリカの34カ国を対象に中国の省と直轄市がカウンターパートとして割り振られている。

アフリカでの医療支援は心臓手術、腫瘤摘出、四肢の移植などにも及んだ。内乱や紛争、災害などで社会秩序も混乱し、銃弾の雨が降り、爆発物の硝煙が立ち上る中、医療スタッフ自身が死のリスクを背負いながらも支援に臨んだ。それは自らも伝染病に罹患して命を落とすかもしれない過酷な環境である。

そんな命がけで働く中国の医療チームに地元市民や地元政府が信頼を置いた。中国と第三世界の長期的なパートナーシップのモデルはこのようにしてアフリカで築かれた。これを「一帯一路」の沿線国家に押し広げていくのが中国の次なる狙いである。

軍人を含む政府高官を中国で研修

一方で、筆者が重視するのは「人的交流」である。中国は専門家チームをアフリカに派遣するのみならず、アフリカから人材を受け入れ、中国でトレーニングを受ける機会を与えている。２０１1年のことだが、筆者は中国の大学で行われる研修ツアーに参加したアフリカ人と接触した。

滞在期間を2週間とする中国研修ツアーに参加したのはベニン、ガボン、ニジェール、マリ、カメルーン、チャド、チュニジアなどの出身者だった。各国数人ずつの代表が選ばれたが、参加者らは各国の財務省や農林水産省に相当する官庁高官もいれば、国立大学管理職や軍部高官も含まれるという、そうそうたる顔ぶれだった。

研修ツアーの参加者には、渡航費のほか、中国滞在中の宿泊費と食費のすべては中国側が負担する上に、「日当」として1日80元（当時のレートで約１３００円）が支給された。さして大金ではないが、もらう分にはうれしい金額だ。グループの最年長者でもあり、リーダー格であるマリ共和国出身のアブドラ氏は「すべてタダだし、お金ももらえ、しかも観光にも連れて行ってくれるこの研修ツアーは、貧困国から来た私たちにとって悪いものじゃない」と話していた。

こうした〝研修ツアー〟は中国全土の大学で、毎年4～12月の期間、ほぼ毎月のようにして開催されている。アフリカの1カ国につき毎年数百人規模を送り込んでおり、少なく見積もっても、中国は毎年「アフリカ54カ国」から５４００人を受け入れている計算になる。ちなみに、彼らが滞在する浙江省の浙江師範大学だけでも、研修ツアーの開催は２０１１年の時点で52回目を迎え、すでに1142人が学んだという。このとき、アブドラ氏が「このツアーに参加すれば、10年以内にアフリカのすべての高官が、中国で研修を受けることになる」と言っていたが、あれから10年が経った現在、アフリカすべての高官は中国での研修を終えたことになる。

ちなみに浙江師範大学が2007年に設立したアフリカ研究院は、中国きってのアフリカ研究の専門機関であり、今なおここを母体にさまざまな形のアフリカ交流が行われている。

デモクラシーはいらない

研修1日目、彼らは鄧小平理論を学んだ。4時間にも及ぶ授業で教壇に立った中国人の専門家たちは、改革開放を推し進めた鄧小平の人物像やその考え方、中国が今に見る発展を迎えることができたのはなぜか、という内容に言及した。居眠り姿も少なくなかったようだが、ある言葉に全員が「目を覚ました」という。それはこんな発言だった。

「デモクラシーなど重要ではない。中国を変えたのは〝富〟である」

それぞれの国にはそれぞれに直面する現実がある。それを解決するのは欧米型民主主義をなぞることではない――そんな中国側の主張に、リーダー格のアブドラ氏は驚き呆れながらも、「欧米の価値観を堂々と放棄した発言だった」と打ち明ける。

中国は旧ソビエト連邦の失敗をつぶさに観察しているが、旧ソ連の共産圏における民主化は、「そもそも西欧のやり方の模倣であり、それが失敗に繋がった」と結論づけている。

授業の中ではこんなコメントも出たという。

「アフリカは決して貧困などではない。約150年も続いた列強による植民地支配が、アフリカの文明社会を奪ったにすぎない。今まさにこれを変える必要がある」

そんな現状を変えようとしたところでアフリカ独力では無理であり、手助けが必要となる、それを助けるのは、かつての植民地支配を続けた欧米ではなくこの中国こそがふさわしい――というロジックである。

中国によるアフリカ研究は、猛スピードで進んでいる。政治、経済のみならず、教育分野にまで及ぶ。中国に来た留学生が書くのは主に「祖国の事情」についての論文であり、アフリカ人学生の論文を通して中国の教授たちは貪欲にアフリカ各国の情報を吸収する。

傍から見れば、それは中国による〝新植民地主義〟といえるものなのかもしれない。欧米のメディアは、中国の積極的なインフラ輸出に対し、債務が膨らみ経済が不安定化する国もあると報じている。

一方、マリの市内を走るのは中国製の廉価なバイクだ。市民生活に浸透するのは安価な中国の軽工業品であり、病院のほとんどが中国資本で建設されている。医療器材は中国製で、人材までも中国でトレーニングを受けている。アフリカにあるもののほとんどすべてが「メイド・バイ・チャイナ」化されていくことに、アブドラ氏は「かつてはそれに身構えることもあった」と言う。

だが、アフリカの人々は、自分たちが必要としているものを与え、人の往来を活発化させ、将来の目標を与えてくれる「中国モデル」に背を向けてはいない。アブドラ氏はこう語っていた。

「金を出す国は少なくないが、中国のように多くの専門家を派遣してくれる国は少ない。アフリカを怖がっているのかもしれないが、我々は技術やノウハウを移転させてくれる〝人〟が欲しい。確かに中国のやり方はズル賢いから油断はならないが、それができるのは結局のところ中国しかない」

この取材から10年近くが経った。そこで筆者はアフリカを担当した経験を持つ某国大使館の高官に「欧米日のメディアは、『中国はアフリカでうまく行っていない』と報道しているが本当なのか」と訊ねた。すると、即座に「ノーノー」とかぶりを振り、こう語った。

「むしろ中国はアフリカで成功しています。成功の決定打は何か。それは、上から目線の欧米とは対照的に、中国はアフリカ諸国と〝兄弟〟と呼びあっていることにあるのです。今ではアフリカの３分の２以上の国が中国との結びつきを強めています」

エチオピアに至っては「義兄弟の契り」を結んだとまでいわれているが、同国で保健大臣と外務大臣を歴任したテドロス・アダノム氏は、２０１７年にＷＨＯのトップ（事務局長）に就任している。ＷＨＯは、これから中国が本格化させる〝健康のシルクロード〟を大きくバックアップすることだろう。

中国がアフリカ外交を開始して60年以上が経過した。しかし、その戦略は色あせるどころか、これからの未来につながっていく。時空をも超える中国の長期戦略には舌を巻かざるを得ない。

世界の医療強国を目指す中国だが、足元では多くの市民が医療体制の不足に悲鳴を上げている

4-2　急ピッチで進む中国のワクチン開発に「大丈夫か」の声

２０２０年10月第２週の週末、中国の通信アプリ「ウィーチャット」内で、「新型コロナウイルス・ワクチン接種の意識調査」が拡散された。アプリをインストールしている筆者のスマホにも着信したのだが、その調査内容は「接種を希望するか検討中か、どちらかを選択して返信せよ」というものだった。

発信元は、国有医薬品メーカーの中国医薬集団と中国生物技術集団の連合チーム（詳細は後述）である。同チームの開発するワクチンは、北京市と武漢市ですでに公式サイトからの接種の予約を開始した。

世界保健機関（ＷＨＯ）は、10月２日時点で、ＷＨＯに登録されているワクチン開発プロジェクトは１９３件あり、そのうち10種のワクチンが、「第Ⅲ相臨床試験」（不特定多数を対象に有効性を検証する試験）――つまり、最終段階にあると公表している。

世界の先頭を競う10種のワクチンのうち、３種の不活化ワクチンと１種のウイルスベクターワクチンは、以下の３つの中国チームが研究と開発に携わっている（ＷＨＯ登録順）。

（１）科興控股生物技術有限公司（シノバック・バイオテック）

……北京に拠点を置く民間企業で、国内で60近い発明特許を持ち、１２０以上の論文を国際学術誌に発表している。

（２）中国医薬集団（シノファーム）＋中国生物技術集団（ＣＮＢＧ）

……中国医薬集団は、国務院の国有資産監督管理委員会が直接管理する巨大国営企業であり、１５００以上の子会社を持つといわれる。パートナーの中国生物技術集団は中国医薬集団の傘下にあり、北京生物製品研究所と武漢生物製品研究所を有している。

（３）康希諾生物股份公司（カンシノ・バイオロジクス）＋中国人民解放軍軍事科学院

……康希諾生物は、天津市に本社を置く民間企業であり、中国人民解放軍の最高学術機関である中国人民解放軍軍事科学院とチームを組んでいる。共産党政権の中国では、いまだ軍は国の中枢部門であり、最先端の医療も軍が握っている。

このようにして中国は、自国の最先端の製薬企業や研究者を総動員して開発を急いでいる。ちなみにこれ以外にも、上海復星医薬集団（シャンハイ・ファーマシューティカルズ）が、ドイツのバイオＮテック社および英国のファイザー社とチームを組んでいる。

ＷＨＯのテドロス事務局長は9月21日、「世界経済の回復を加速するための最速の方法は、すべての国でコロナワクチンを接種させることだ」と述べたが、このまま開発が進めば、中国がポストコロナの世界の医療に大きな影響力を持つことになるだろう。

潜在市場をにらみ、臨床試験は海外で

中国チームの開発状況だが、まず、（3）が共同開発したウイルスベクターワクチン「Ad5-nCov」は、第Ⅰ相臨床試験（主に治験薬の安全性について確認するための試験）を、世界で初めて開始した。康希諾生物は、2020年の春節の前に新型コロナワクチンの開発に着手することを決定し、感染拡大で中国全土が大混乱に陥る中で開発を続け、3月16日の第Ⅰ相臨床試験にこぎつけたという。世界初のワクチン接種は、ロックダウン真っ最中の武漢市で行われた。

さらに、4月には第Ⅱ相臨床試験（主に治験薬の用法・用量を調べるための試験）に移行し、2日間で5346人のボランティアが登録し、この臨床試験に参加した。その後、英国の医学専門誌「ランセット」でワクチンの研究開発結果を発表、6月末には軍に限定して使用が承認された。（3）を率いる中国の上級軍事ウイルス学者である陳薇氏には9月、「人民の英雄」という国家栄誉称号が授与されている。

一方、（2）は、7月からアラブ首長国連邦（UAE）で第Ⅲ相臨床試験を開始した。中国の電子メディアによれば、9月末にはUAEでの臨床試験への参加人数は3万人を超えたという。同月、UAEは（2）が開発したワクチンについて、中国以外では初めて緊急使用を認める国となった。（筆者注※中国では「ワクチン管理法」により、重大な公衆衛生上の事件

が発生した場合、医療関係者、伝染病予防担当者、国境検査官などを対象にワクチンを使用することが定められているが、すでに中国政府は９月時点でワクチン３種の緊急使用を承認し、国内の医療関係者や国有企業の従業員などが予防接種を受けている）

（２）による第III相ワクチン臨床試験には、ＵＡＥのほかパキスタン、インドネシア、ブラジル、ロシアが参加している。海外で行うのは、「中国産ワクチンにとって大きな潜在市場」（「中国経済週刊」）だからだ。

中国国務院直属のワクチン研究開発チームでリーダーを務める鄭忠偉氏は、中国の電子メディアの取材に対し、「中国のワクチンの生産能力は２０２０年末までに６億１０００万回分、翌年は10億回分以上に達する」と予測している。

一方で、習近平国家主席は、５月18日に開催されたＷＨＯの第73回会議で「手ごろな価格のワクチンを国際公共財として使用する」と述べた。また中国は10月９日に、ＷＨＯなどが立ち上げたコロナワクチンの公平供給を目指す国際的枠組み「ＣＯＶＡＸ」に参加した。

当初、中国は国内需要と「一帯一路」の沿線国や、中国が南シナ海の権益を主張する東南アジアの国々にワクチン分配の優先順位を与えていたが、これを翻意した形となった。中国外交部（外務省）のスポークスマンは「中国はワクチンの公平な分配を行う」と強調している。

あまりに急ピッチすぎるワクチン

　どんなワクチンも、その開発に通常は10年かかるともいわれるように時間をかけた検証が必要であり、開発の過程はさまざまな困難に阻まれる。現に、英国の製薬大手であるアストラゼネカ社は、ワクチン接種者に副作用が見られたため、一時、第Ⅲ相臨床試験を中断した。米国の製薬大手・イーライリリー社も、10月13日に治験の一時停止を表明した。にもかかわらず、中国が行うのはわずか数カ月のワクチン開発だ。「これは安全性の検証の省略にほかならない」と日本の医療従事者たちも悲観している。

「人民の英雄」が授与された陳薇氏に対して中国の一般市民は拍手喝采した。しかし、「効果や副作用はどうなのか」と、メリットばかりを声高に伝えた同氏に不安を抱く声もあった。「スピーディーな開発」は中国が最も得意とするところだが、上海在住の知人も「中国のワクチン開発はあまりに急ピッチすぎて怖い」と語っていた。山西省では効果のないワクチン接種で子どもが死亡したり、江蘇省では期限切れのポリオワクチンが流通したりということもあり、抵抗を示す国民も少なくない。

　米国でも「トランプ大統領が11月の大統領選挙前の実用化を急ぎ、ＦＤＡ（アメリカ食品医薬品局）に圧力をかけた」などの憶測が飛び、米国国民の間に「急ぎすぎではないか」という不信感を生んでいる。米国のピュー・リサーチが9月に1万人の米国民を対象に行った調査によると、49％が「接種しない」と回答し、5月調査時の27％から大幅に増加した。電通が8月に日本人を対象に行った調査（「新型コロナウイルス日米定点生活」）では、ワクチン接種を「いち早く接種したい」とする回答は1割にとどまった。

12月に入り、米ファイザー社がワクチンの安全性と有効性を発表したが、どの国の製薬会社もワクチン開発には異例のスピードで取り組んでいる。ただ、中国には「世界の医療強国」への野望がある。それだけに、「スピード重視」がいっそう危ぶまれるのである。

筆者の通信アプリ「ウィーチャット」に着信した新型コロナウイルスのワクチン接種のアンケート調査

4-3 「中国の夢」は旧世界秩序の打破

半世紀前、中国は西側のメカニズムになびいた

２０１7年1月、米国では共和党のトランプ新政権が発足した。２００9年から続いた民主党オバマ大統領からの、8年ぶりの政権交代だ。しかしそれ以降、米中関係はギクシャクが続いている。それまで米中関係を支えてきたのは「互いに儲かればいいじゃないか」というウィンウィンの発想だった。鄧小平の「白猫黒猫論」に見るように、「結果が良ければいい」とする発想は、これまでの中国の発展の原動力ともなった。イデオロギーの違いを主張するのではなく、合理的にものを見るという思想を中国人が持ち始めたため、中国と諸外国との間で、多くのビジネスが生まれた。

筆者が上海で生活していた１９９０年代後半から２０１０年代前半にかけて、日系企業を含む多くの外資系企業が政治体制の差にとらわれず中国市場に参入したのも、そんな時流があったからだ。しかし現在、経済的結びつきを重視したそれまでの流れは大きく変わろうとしている。米国は、中国がどれだけ米国に利益をもたらそうとも、徹底抗戦を崩さない構えのようだ。

歴史を振り返れば、１９７２年に当時のニクソン大統領（共和党）が訪中し、これまでの冷戦時代の関係を大きく転換させたことから、米中新時代が始まった。それまでの米ソ対立は、米国を盟主とする資本主義・自由主義と、ソビエト連邦を盟主とする共産主義・社会主義の二大陣営に世界を二分していたが、毛沢東率いる中国は１９５０年代後半以降、ソ連とは対立状態にあった。

文化大革命さなかで経済が疲弊していた中国は、ニクソン訪中を契機に西側諸国の経済モデルを取り入れ、西側のメカニズムに取り込まれるべく転換を図ろうとした。西側先進諸国との国交樹立交渉と並行して、これまで中国になかったとされる一般製造業を中心としたプラント導入計画を練った。繊維、電子、化学、軽工業などがそれで、これ以後、西側は本格的に中国に向けて労働集約型工業を移転させた。

当時の状況に詳しい中国人民大学・持続可能性発展高等研究院院長の温鉄軍氏は、自身が公開する動画で次のように語っている。

「当時、自由・民主・人権への意識を強めた労働者と雇用主が対立を深刻化させていた西側は、これを解決するために途上国の専制的な政治体制を利用しようと考えた。つまり、中国に労働集約型産業を移転させることで解決を図ろうとしたのです」

西側が進めた中国へのプラント輸出は、その規模が43億ドル（当時のレートで約1・2兆円）に上ることから「四三方案」と呼ばれたが、これが原因で中国は大きな負債を負うことになる。温氏は「中国は1974年に100億ドル（同、約3兆円）の財政赤字を負ったが、四三方案を導入した周恩来や毛沢東は、1976年に他界してしまった。やむなくこれを受け継いだ華国鋒の時代には、赤字は200億ドル（同、約5兆円）に増えた」とし、「ここから始まったのが、1980年代の西側モデルへの制度移転でした」と続ける。

中国では1978年以降、「改革開放」の大号令のもと、中国の旧来の制度の改革に乗り出したが、これこそが市場経済体制への移行だった。この時代の転換期について、温氏は次のように回想する。

「『巨額の赤字を生んでしまったのは、中国の制度がよくなかったためだ。中国には、米国のような西側の管理や統治がない。だから今度は、米国が中国の制度改革を助けよう』と。つまり、米国は中国の赤字が膨らんだのは政治制度の問題だとし、世界銀行を送り込んできたのです」

世界銀行は1980年に中国を視察した。温氏はまさに、世界銀行と中国政府を取り結ぶ接点として活躍していた。その温氏が言う「西側の利益を代表するような世界銀行」と中国が協力関係を持ったのは、資金・技術・西側の国際経験を改革開放に取り入れようとしたためだった。土地は国有とする中国で、使用権が市場で流通し始めたのも、「私有化することで初めて自由交易が行える」という西側の思想を中国が受け入れたからにほかならない。

その後、１９９１年末にソ連が崩壊すると、米中の経済関係は切っても切り離せない間柄となり、２００１年には、西側の枠組みである世界貿易機関（ＷＴＯ）に中国が加盟した。中国が自分たちのルールの中に加わることで対中ビジネスがよりやりやすくなると、西側諸国もこれを歓迎した。その後、中国では外国資本による投資が急増、中間層が増え始め、消費が活性化し、巨大な市場を形成した。

米国による「対中抑止」の政策転換

中国は急激な経済成長を遂げた。改革開放政策を導入した１９７９年、米国はＧＤＰ世界ランキングで1位の座にあり、世界シェアも26・３４％を保っていた。当時、中国は11位で世界シェアはわずか1・７８％だった。その中国が国力をつけはじめ、成長のスピードも米国を凌駕するようになる。２００1年、米国の世界シェアは31・６５％まで拡大させる一方で、猛追する中国によりその差はどんどん縮まる傾向を見せていた。

２００９年、リーマンショックで壊滅的状況に陥った米国経済の立て直しに呼ばれたのは、中国からの不動産購入ツアーだった。ニューヨークやロサンゼルスなどの大都市は、この数年間で富裕になった中国人の不動産投資を歓迎し、「CNN」や「ABC」ニュースなどの現地メディアも「中国の需要が世界を救う」と、これを好意的に取り上げた。

2010年にはGDP2位の日本と入れ替わるようにして中国が躍り出る。中国は2030年を待たずとも世界1位になるのではないか——そんなふうにもいわれるようになった。

膨張する中国に対し米国が「対中抑止」へと政策を転換させたのは、2011年に入った頃からだといわれている。2012年11月には習近平氏が党総書記に選出されたが、この年、米国市民の中国に対する好感度は減少に転じ、ネガティブな視線で中国を見つめるようになった。

2014年、中国のGDP（名目）は64兆7181億元（約1099兆円）となり、米国の16兆9120億ドル（約1774兆円）の61％に達した。中国の識者たちは異口同音にこう語り始めた。


「ソ連や日本がそうだったように、米国はGDPの6割を超えた国を潰しにかかってくる」

中国財政部にアジアインフラ投資銀行（AIIB）の設立構想が出始めたのは、2013

年の初頭だといわれている。同年10月、習近平国家主席が訪問したインドネシアで、李克強首相は訪問先の東南アジアで、ＡＩＩＢの設立を正式に提唱した。

このＡＩＩＢの出現は、世界銀行やアジア開発銀行（ＡＤＢ）などの枠組みを通して国際的な影響力を保ってきた米国・日本を中心とする国際秩序への挑戦状にほかならない。国際社会における中国の影響力を高め、中国を中心とする新秩序を築き上げようとする〝中国版の世界銀行〟の設立に、米国は身構えた。米国財政部は「ＡＩＩＢの設立は、世界銀行とアジア開発銀行を弱体化させる」（２０１４年11月10日の「経済観察報」）と警鐘を鳴らした。

２０１５年12月25日、北京を本部とし、ＡＩＩＢが正式に設立された。中国は約30％を出資し、筆頭出資国として出資比率に応じた議決権と拒否権を手中に収めた。２０２０年４月時点での加盟国は１０２の国と地域であり、ＡＤＢの67カ国と地域を大きく上回っている。日米両国はいずれも参加を見合わせている。

ちなみに、ＡＤＢの筆頭出資国は日本と米国（出資割合は各15・６％）で、１９６６年の発足からすでに54年という長い歴史があり、歴代の総裁はすべて日本人が就任している。中国も１９８６年にＡＤＢに加盟しているが、出資割合は６・４６％と、日米両国の半分にも及ばない。ＡＤＢの総裁は日本人が務めるが、国際通貨基金（ＩＭＦ）や世界銀行のトップは欧米人が就任する。世界第２位の経済大国にのし上がった中国は、このアンバランスを不服としていた。

中国が主導するＡＩＩＢは、そのような「旧秩序の打破」を目論んで設立された。米国を中心とした世界体制のメカニズムの中にとどまる限り、いくら努力しても他人の〝金のなる木〟を育てているにすぎないことに、中国は早い段階から気づいていたのである。

「一帯一路」は絵に描いた餅ではなかった

２０１４年11月7～12日、北京でアジア太平洋経済協力（ＡＰＥＣ）会議が開催された際、習氏は初めて「アジアの夢」というキーワードを掲げ、インフラ開発によって周辺国の経済を一体化させ、アジア太平洋地域を発展させる構想を提唱した。それが、陸と海の両方のシルクロードで経済圏を構築する「一帯一路」である。「一帯一路」は、国境と国境を結び、鉄道や道路を敷設し、中国を起点にヒト・モノ・カネの流れを西に進める巨大物流網の構築だといわれている。そこには軍事戦略も織り込まれ、米国を排除する意図がチラついている。

「一帯一路？　どうせ絵に描いた餅に過ぎない」――当初、私たち日本人は軽く見ていた。だが、実際にこのプロジェクトは着々と進行している。掲げた計画はちゃんと実行する中国を侮ることはできない。

中国は14の国と国境を接している。辺境の地には国境ゲートがあり、隣接する国同士が細々と交易を行ってきた。もとより国境地帯は経済発展の中心から取り残された遠隔地でもあり、格差是正が課題となってきた。そこに現れたのが、中国の広域経済圏構想「一帯一路」だ。中国はこの構想の中で、国境地帯の開発も急いでいる。

２０１８年夏、筆者は国境交易に「一帯一路」がどう影響しているのかを見てみようと、ベトナムと中国の国境地帯であるクアンニン省モンカイ市を訪れた。ハノイからモンカイまでの走行距離は３３７キロ。早朝８時に出発した筆者が、モンカイと中国の国境ゲートについたのは16時半を回っていた。

モンカイの国境ゲート周辺には、交易拠点よろしくさまざまな商品が売られていた。靴、サンダル、帽子、トランク、バッグ、自転車、Tシャツ、下着、子供服、ヘルメット、携帯カバー、アクセサリー、オーディオ――、そのほとんどが「メイド・イン・チャイナ」だった。

しかし、商品としてはどれも魅力に欠けるありきたりなものだった。いまどき、中国の都市部在住者なら振り向きもしないだろう。中国本土にはもっといいものが売られているはずだと不思議でならなかったが、「過剰在庫のはけ口」とはまさにこのことなのか。ベトナムで売ろうとしているのは、中国の工場がいまなお生産を繰り返す「安かろう悪かろう」の陳腐化した商品に過ぎないものだった。

国境ゲート前で進む高級ショッピングセンターの開発

モンカイの国境ゲート前には「和平大道」という名の大通りが延びるが、この界隈の不動産は中国資本にしっかりと押さえられていた。交易拠点としての商業ビルがすでに2棟開発されていた。間口一間ほどに区分された店舗の使用権を握っているのは中国人で、下ろされたシャッターには「借り手」を探す中国の仲介業者の中国の携帯番号が書き込まれていた。

扱っている商品も中国産なら、それを売る店舗も中国が建てたものだった。筆者は国境ゲート界隈の市場を歩き、ベトナムの特産品を探したが、それらしきものはほとんど見当たらなかった。売られていたのはお情け程度のベトナム産コーヒーがせいぜいだった。

10万人超の人口を擁するモンカイ市は、1978年の中越戦争前は陶器の一大生産地であり、住民の半数近くを華僑が占めていたといわれている。たとえその名残があったにせよ、ベトナム側の好立地の不動産が中国系資本に押さえられ、生活の中にこれほどの中国製品が入り込んでいるというのは違和感がある。

筆者がモンカイで最も腰を抜かしたのは巨大な不動産開発だった。国境ゲートを背にわずか300メートルの距離に商業施設の建設現場があった。ここは近くショッピングセンターになるという。

和平大道の一角には販売センターが設けられており、すでにこのショッピングセンターのテナント販売は進められていた。隣接する広西チワン族自治区の首府・南寧市から送り込まれたというスタッフは、目の前に置かれた模型を指さし、「ショッピングセンターを中心に、住宅やホテル建設も進める計画です、モンカイに巨大な街が誕生しますよ」と説明した。

目の前に置かれた模型は、中国が最も得意とするところの商業施設と住宅、ホテルが〝三位一体〟となった一大開発プロジェクトである。こうした開発モデルをモンカイにも移植し、北京や上海の郊外がわずか数年で大きく様変わりしたのと同様の変化を起こそうとしているのだ。

上海では浦東の田畑があっという間に高層マンション群と化した。それには10年程度の時間があれば十分だった。モンカイにも未利用地があちこちにある。中国・広西チワン族自治区の東興市と接し、トンキン湾に面するこのクアンニン省モンカイ市の土地にはあっという間に高層マンションが建ち、中国からの一般投資家がこれを買い占めていくのだろう。「一帯一路」で推し進める他国でのインフラ整備が、中国資本による中国人のための不動産投資のための受け皿に活用されるのだとしたら、あまりに都合がいい話だ。

国家の掲げた「一帯一路」構想を旗印に、中国の民間資本は潜在性あるモンカイでの経済活動を目論む。民間資本が狙うのは一も二もなく不動産投資、それも数年後に暴騰するであろう不動産の転売が目的である。

「一帯一路」構想は道をつなぎ、経済の往来を太くするものだといわれているが、現実に行われているのは、ゲーム版の「モノポリー」のような不動産の買い占めである可能性が強い。中国国内ではこの不動産開発が市民生活を狂わせた。中国との交易がその国の人々を幸せにするのかは疑わしい部分もあり、沿線国の市民もこれを手放しで喜ぶことはできない。

中国との国境地帯のベトナム・モンカイでは中国資本による不動産開発が始まっていた

モンカイで進む不動産開発。投資パンフレットを刷り中国人投資家を呼び込んでいる

4-4　中印衝突、「一帯一路」の軍事利用が露呈した

もともと不安定な中印関係

我々は一寸の土地も譲らない。インドの銃口から一撃が放たれれば、中国は手加減しない——。ただならぬ意気込みが中印国境から伝わってくる。１９６２年に起きた中印国境紛争以来、ヒマラヤの高地で銃弾が飛び交ったことはないが、２０２０年6月15日の夜に勃発した衝突は、４０００メートル級の高地に数多くの遺体が並べられるという息をのむような展開となった。

中印国境地帯では日常的な小競り合いが何度となく繰り返されてきたが、今回のギャルワン渓谷での衝突を発端に、中国は大がかりな準備に乗り出した。鉄道による装甲車の輸送を開始し、空中巡邏部隊、通信部隊、攻撃部隊が組織され、チベット自治区のラサ市では民兵団の入団式が行われた。これが示すのは「待ってました」といわんばかりの準備万端ぶりだった。

もともと中国とインドは仲がいいとはいえず、１９６２年に国境問題から紛争に至った両国は、政治面・外交面で緊張した関係が続いていた。ところが、２０００年代に入ると、国

境問題の解決に向けた動きが始まり、両国の距離は急速に縮まる。2013年には李克強首相がインドを訪問し共同声明を発表、また同年、インドのマンモハン・シン首相も中国を訪問した。翌年は習近平国家主席がインドを訪問し、これに対してナレンドラ・モディ首相が異例の出迎えをするなど、両国間は飛躍的な関係改善を見せた。

しかしそれ以降、モディ政権下の中印関係は冷めていく。2017年にはブータンと中国の係争地で中印が対立し、関係は再び不安定なものになった。当初インドは、インフラの建設や製造業で中国の協力に期待していたにもかかわらず、モディ政権は中国が誘う「一帯一路」に懸念を抱くようになった。中国とパキスタンの間で進められている「中パ経済回廊」が、インドとパキスタンが領有権を争うカシミール地方を通るためでもある。

一方、コロナが蔓延するインドで、モディ首相は3月25日、国内の新型コロナ感染が500人（死者10人）を突破したことから感染の封じ込めの先手を打った。全国的なロックダウンを行ったのだが、インドは感染拡大の封じ込めに失敗してしまう。5月19日には累計感染者数が10万人を突破（死者3163人）、6月13日には30万人を突破（死者8498人）して英国を抜き世界のワースト4位となり、7月2日には60万人（死者1万7800人）と、わずか19日でその数を倍増させてしまった。そのインドでは政権への風当たりが強まり、国境での衝突は「ガス抜き」という見方も存在した。だがむしろ、インドの中国離れという流れの中で起こった現象と見るのが妥当なのかもしれない。

拓殖大学名誉教授の小島眞氏が、論文（「インドが直面する2つの試練：新型コロナウィルス禍と印中国境紛争」）で「中国（香港を含む）の対印ＦＤＩ（外国投資）が急増する中、中国企業によるインド企業の買収を防止する観点から、２０２０年４月中旬、インドと国境を接する国の企業や投資家がインドに投資する場合には、すべて政府の認可が必要になるとの方針が打ち出された」と指摘しているように、経済関係では一定の割り切りを示していたモディ政権も、中国に対して警戒感を強めるようになった。

北京発アクサイチン経由でカシュガルへ

２０２０年３月のコロナ禍に、中国の友人がある動画を共有してくれた。それは、２０１９年４月に北京を出発した中国の旅行愛好家が「旅行」という名目で、20台の車両を連ねて新疆ウイグル自治区のカシュガル市に向かう一部始終を記録したものである。

四川省成都市からチベット自治区のラサ市を結ぶ川蔵公路（国道３１８号）を西に向かってひた走り、チベット自治区のシガツェ市から新蔵公路（国道２１９号）を使ってカシュガル市に向かい北上する。途中、中国が実効支配するアクサイチン（インドは「ラダック」と呼び領有権を主張している）を経由する、約６５００キロ（北京―ラサ３７１８キロ、ラサ―シガツェ６４０キロ、シガツェ―カシュガル２１４０キロ）にわたるルートである。

ギネスにも載る「世界で最も海抜の高い幹線道路」を20台の車列が流れるように走る。中印の衝突の現場となったパンゴン湖を通過し、海抜4000メートルの盆地をひたすら北進する。荒涼たる月面世界のような〝無人の地〟に、中国のインフラ開発で舗装された道路が貫通し、北京とアクサイチンを結び、ついにはカシュガル市にまで到達したことに度肝を抜かれる。

チベット自治区のガリ地区プラン県は国境沿いの町だが、すでに漢字文化圏と化していたことにも面食らった。動画に映る飲食店や雑貨店を中心とした街づくりはまさに中国流で、屋外の看板のほとんどに漢字が表記されている。走っている四輪車も二輪車も見覚えのある中国製だ。チベット文化圏の家屋は日干しレンガを積み重ねて漆喰を塗るという素朴な構造が通例だが、立派な民家も立ち並ぶ。〝祈りの生活〟が中心だったチベットの山奥で、中国流の「富裕モデル」の移植が進んでいるのは一目瞭然だ。

動画には「このエリアは電子機器や遠距離武器を配置しやすい」とか「道路を通して大兵団を送ることができる」など、軍事的なコメントが挿入されている。「戦争になればこの情報が役に立つだろう」といった言葉さえ刻まれていたが、「旅行」と称したツアーは、何かの下見ではないのかと疑ってしまいたくなるほど、専門的な視点で道中を観察している。まさに「その日」のために、中国は1950年代から着々と準備を進めていたということなのだろうか。

ラダック地方の係争地地図

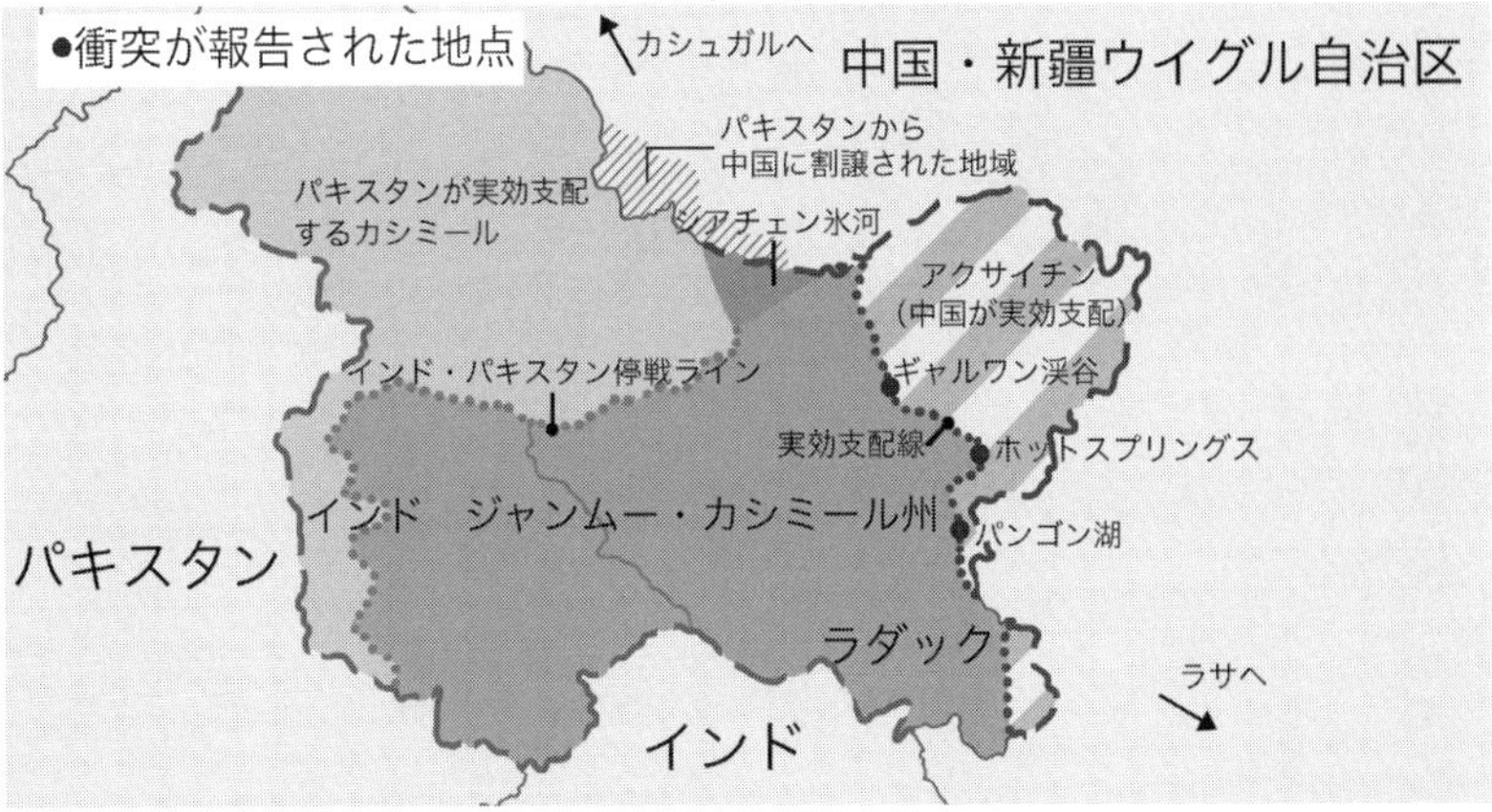

注：2019年８月、インド憲法を改正して、ジャンムー・カシミール連邦直轄領とラダック連邦直轄領の２つに分割された

有事の際は、カシミールの領有権を巡り長年インドと争ってきたパキスタンが中国に加勢し、新疆ウイグル自治区とチベット自治区の協力のもとに勝利に持ち込める。今回の中印衝突では、後方支援は準備万端整った――と、中国は強気の構えを見せていた。

地元の人々の生活は保たれるのか

アクサイチンはインド・ジャンムーカシミール州ラダック地区の一部だとされており、これまでに中印が衝突を繰り返す舞台ともなってきた。古代ラダック王国の中心だった主都レーは、インドの首都デリーから直線距離にして約600キロの地だ。すでに空路が開かれているが、デリー北西のシュリーナガルを起点に陸路でたどれば、今でも数日の行程となるのではないだろうか。ラダックは1974年まで外国人立ち入り禁止の地だったが、筆者がここを訪れた1980年代は2泊3日を必要とした。

インダス川上流域に位置し、またカラコルム山脈とヒマラヤ山脈に挟まれたラダックは、4000メートル級の峠を越えて初めてたどり着く高地だ。筆者が訪れたとき、インド・パキスタン停戦ラインの近くを通過する際には、対面から走行してくる軍用車両に道を譲らなければならず、時間を空費することが多かった。4080メートルのフォトラ（ラは峠の意味）を越えるとチベット文化圏が広がる。インドでありながらも、イスラム文化やヒンズー文化に属さないのがこの地の特徴だ。

ラダックに仏教が本格的に伝わったのはチベットからであり、それが根付くようになったのは9世紀頃だといわれている。1949年に中国が建国すると、チベットは中国による侵攻を受け、迫害から逃れた難民がラダックに向かった。筆者は80年代に2度この地を訪れたが、現地で購入した布製のバッグには「Tibet」と刺繍が施されていた。ラダックはチベット仏教が息づく土地で、80年代当時、ゴンパと呼ばれる寺と民家以外にほとんど何もなかったレーの町で、人々は祈りを中心とした生活を送っていた。

ラダックは、北はチベットと新疆ウイグル自治区、西はパキスタン、南はインドに接する「古代シルクロードの要所」であった。シュリーナガルを出発して途中、立ち寄ったムルベクという村に大きな摩崖仏がある。当時、筆者は気づかなかったが、『アジアの心』の著者であるニコラス・レーリッヒによれば、摩崖仏に〝中国語の碑文〟が刻まれており、これは中国の東晋時代の僧・法顕によるものではないかという。５世紀には法顕、７世紀には玄奘三蔵も訪れたといわれ、僧侶たちがこの古い交易の道「シルクロード」を歩いたと伝えられている。

「一帯一路」という名のもとに、中国が「現代のシルクロード」を復活させているのは周知のとおりである。インドと中国にまたがる山岳地帯は、地元民がヤクやヤギを追う程度の細々とした道しかなかったはずだが、中国はこうした不毛の土地にも前述のような幹線道路をつくり、鉄道を通し、新たな物流の道（あるいは兵器輸送の道）を建設しているのだ。

道を通すことが、地元民の幸福につながればいいのだろうが、それを期待することは難しい。人々の生活の「金回り」をよくする〝中国モデル〟で、果たして人は「幸福」になれるかどうかは未知数だ。中国共産党の唯物思考は、チベットの人々が持つ精神的な価値観や祈りの生活とは相容れない。

もし、中印国境地帯で戦争が勃発したら、この地にどんな悲劇がもたらされるのだろうか。それを想像すると背筋が寒くなる。この地には寺院や仏塔、仏教壁画など宗教的な文化遺産がタイムカプセルの如く保存されているが、これが破壊されでもしたらひとたまりもない。実質的に宗教を否定する中国共産党により、地元民の祈りの生活が踏みにじられでもしたら、チベットの悲劇が繰り返されてしまう。

中国が網の目のようにユーラシア大陸に張り巡らせようとする現代の交易ルート「一帯一路」が、結果として地元の人々の生活や価値観を損なうようなものであれば、筆者は決してそれに賛同することはできない。ましてや交易ルートとして再開発した道が軍事利用されるのだとしたら、遺憾この上ない。

互いの敵は米国だ

紛争や対立の局面における過去のパターンからすると、中国のネット民たちは愛国心を強くたぎらせるが、今回の中印衝突で中国の某人気ブロガーが発するのは、「アメリカの思うつぼにハマるな」というメッセージだ。

「背後には米国がいる。彼らは中国とインドに戦争をやらせようとしている。トランプ（大統領）とポンペオ（国務長官）は火を点けて煽り、両国もろともに消耗させるのが米国の狙いだ」

ブログの内容は次のようなものだった。

「この中印衝突を一番喜んでいるのは米国だろう。仮にこの紛争が発展すれば、中国から資本が流出し、中国経済の失速が加速する。中国による世界覇権を望まない米国からすれば、中国の自滅の道は願ってもないシナリオだ。一方で、インドは米国からの武器購入に大枚をはたくだろう。無人攻撃機の『ＭＱ―９Ｂ』22機を、すでに20億米ドル（約２１６０億円）で購入している。米国はインドを『世界最大の民主国家』と評し、『大切なパートナー』として位置付ける一方、重要な武器の売却先としてリストアップしている。だからインドよ、目覚めてほしい――」

米国があの手この手で台頭する中国を抑え込もうとしているのは周知のとおりだが、中国の周辺で局部的な軍事衝突を起こすこともその１つの手段だといわれている。このところ、インドのみならず香港や台湾がきな臭いが、「米国には、中国が抱える矛盾を刺激し露呈させることで覇権を維持するという考えがある」（台湾の政治評論家の石斉平氏）という。

また、中国には「中国とインドは共通点が多い」と主張する評論家やブロガーも少なくない。その共通点の１つ目は「世界史観」だ。米国は植民地時代を入れてもわずか数百年の歴史しかないが、中国もインドも「共に５０００年の歴史を持つ文明発祥の伝統国だ」という主張である。

２つ目は「人口規模」だ。世界人口77億人のトップ２は、中国14・３億人、インド13・

6億人であり、世界の3分の1強を占めている。この二大国による衝突は、世界の期待が集まる消費市場にも大きく影響するどころか、一歩間違えば世界大戦に発展しかねないという危険をはらむ。ちなみに、米国の人口は3・3億人で世界3位だ。

そして3つ目は「現代史観」だ。ともに植民された経験を持ち、第二次世界大戦後に独立し、現代化を目指し続けている第三世界であるという点だ。「巨竜」と「巨象」はいわば兄弟のようなものであり、「米国こそが共通の敵だ」とする主張である。

もっともこれには「深謀遠慮」があるかもしれない。中国は西進を続け、ユーラシア大陸とアフリカ大陸をインフラでつないで一体化を目指し、逆に米国とは袂を分かつ傾向を強めている。「一帯一路」に反対の立場を示すインドに、翻意を促し、中国とのタッグを呼びかけているかのようにも聞こえるのだ。

中国が打ち出した「一帯一路」構想は、「現代のシルクロード」と交易の重要性を掲げながらも、実は中国の道路整備は武器輸送や兵団輸送のルートにも化ける。中印衝突はそんな恐ろしさを露呈させた。

中印衝突の舞台となっているラダック地方（1980年撮影）

第5章　香港問題と中国

5-1　香港市民の生活崩壊は中国マネーの流入

進む中国からの資産移し

　中国人は無類の不動産好きだ。日本においても2000年代後半以降、彼らによるさまざまな不動産取引が盛んに行われてきた。中国企業による億単位のホテル投資やオフィスビル投資、個人投資家によるワンルームマンションや民泊物件、極めつけはリゾート地や山林・水脈地にいたるまで、ありとあらゆる不動産が彼らのターゲットとなった。2020年に入ってもその投資意欲は旺盛で、筆者にも何人かの中国の友人から「日本で不動産を買いたいのだけど」と相談が持ち掛けられた。

　人口減少を最大の課題とする日本では、不動産業者が新たに住宅を分譲しても「即日完売」の札が下がるケースは実に少なくなった。中古市場でも値段を落とさなければ買い手がつかなくなる中で、一部の業界が購入意欲満々の中国からの投資に期待を寄せるのは無理からぬことだ。しかし、ことはそんなに単純ではない。香港に目を向ければ、中国からの不動産投資が行き過ぎて高騰し、地元の庶民が住めなくなったという悲劇が起こっている。抗議デモがあれほど過激に発展したのは、中国マネーの流入が遠因だ。ここではその過程を振り返ってみたい。

話は２０００年代にさかのぼる。１９９７年7月の香港返還以降、中国では空前の「香港不動産投資ブーム」が到来し、芸能人や有名企業の経営者などが香港の不動産をこぞって買い求めた。しかし２００９年、中国ではリーマンショックの影響を受け景気が落ち込んだ。政府はすぐさま4兆元（当時のレートで約64兆円）の財政出動を行ったのだが、このときのだぶついた一部の資金も香港の不動産投資に向かったといわれている。

香港不動産もリーマンショックの影響で下落したのだが、「このときがまさに〝買い〟でした」と、投資家の友人は語る。中国人にとって香港の不動産の魅力は「所有権」を持つことができる点にある。中国本土では土地は国家のものであり、持てる権利は「使用権」にしか過ぎないためだ。

「中国共産党幹部が香港に豪邸を構えている」――というまことしやかな噂も立った。かの香港紙「蘋果日報」（アップルデイリー）によれば、習近平国家主席も浅水湾（レパルスベイ）に6億４０００万香港ドル、日本円にして約１００億円相当の物件を所有しているという話だ。

しかし、資金源はいずれも極めて不透明だ。額に汗して稼げる金額ではない。共産党幹部にせよ政府官僚にせよ、利権を金に換え、膨大な資金をため込んだ疑念は払拭できない。

一方、持てる者からすれば、「中国本土に桁外れの資産を置いておくのは危険だ」という認識がある。これまで職権を乱用し〝口利き料〟を受け取ってきた高級官僚にとっては、政権交代や派閥闘争の結果如何で、いつ何時どんな罪名で牢にぶち込まれ、資産のすべてを没収されるのかわからないからだ。中国では地位が高い者ほど、想定外のリスクに常時怯えている。「取られる前に海外に資産を移す、隠す」――香港はこうした〝曰く付きのマネー〟の格好の投資先となった。

送金の抜け道はいくらでも

2014年、中国は外貨準備高が4兆ドルに達する一方で、海外への資金流出に歯止めがかからなくなってしまった。もとより、中国政府は海外への外貨持ち出しを厳しく制限してきたが、2016年に外貨準備高が3兆ドルの水準にまで落ち込むと、さらに資金流出に神経をとがらせるようになった。

一時は、銀聯カード（中国の銀行が発行するデビットカード）などを複数枚使いながら、国外のＡＴＭで中国の預金口座から繰り返し資金を引き出すという資金移転のやり方で、海外に億円単位の豪邸を買うなどの荒業も散見されたが、こうした攻略法も使いにくくなった。
外貨持ち出し制限が厳しくなる中、今なお香港で分譲物件を購入できるのはどういうわけなのだろう。筆者の中国人の友人も、２０１６年に日本円にして４億円超の戸建てを香港で購入している。そのあたりの抜け道について、ある中国人実業家に訊ねたところ、こう返ってきた。

「中国の高級幹部ならば、地下銀行を使って何百、何千億円単位の人民元を香港に送金することができる。中国の一般市民の場合は、深圳と香港の間を往復するブローカーに現金を運ばせるケースが多い。あるいは、海外に法人口座を持つ中国人に物件を購入してもらい、それに相当する対価を人民元で返すなど、友人同士のネットワークを利用するケースもある」

「上に政策あれば下に対策あり」とはこのことだ。帳簿に載せられないカネを、無数に張り巡らされた〝闇ルート〟で中国から香港に運び出す、ひとたび香港に資金移転することができれば、香港の法治の下で、その資産は安全に維持管理することができるというわけだ。
表向きは「法治」、水面下には「無数の闇ルート」を備えた香港は、共産主義国家から資本主義国家への橋渡しをするグレーなエリアであり、金持ち向けに実に都合よく設計された土地である。

ちなみに香港の不動産企業の管理職によると、2019年、香港の大手不動産仲介業者が取り扱った中古住宅の最高価格は、実に12億香港ドル（約168億円、1000平米の物件）だったという。東京でさえも聞かないとんでもない金額だが、「こうした巨額投資のほとんどが大陸からのものだ」（同）と言う。

前出の中国人実業家は、「不動産物件が高額になればなるほど、中国人にとって中国の資金を持ち出すのに好都合だ」と言う。香港ではこうした一国二制度の差を悪用したロンダリングや錬金行為が日常的に行われているのだ。まさしく、香港の闇の部分である。

大陸の中間層も香港の住宅に食指を伸ばす

〝竹林のようにそびえる高層住宅〟が香港の象徴であるように、香港の土地は有限だ。わずか1100平方キロと札幌市と変わらぬ面積に730万人超の人口がひしめく。香港は世界でも指折りの〝住宅難都市〟である。

過去20年の統計を見ると、香港で地価の高騰は2003年を底に急上昇を始めたことがわかる。2018年の住宅価格は2003年からの15年間で4倍に高騰した。「バブルだ、バブルだ」と騒がれた上海の住宅価格は２０１０年に東京の水準を超えたが、香港は上海の倍の水準である。日本では「住宅は世帯年収の５倍が適正価格」といわれているが、香港の平均住宅価格はもはや世帯収入の14倍だといわれている。

香港ではここ数年、一般市民向けの住宅が投資の対象になっている。住宅ローンの利率が大陸よりも低いことから、大陸の中間層が香港で住宅を求めるケースが増えたのだ。また、大陸では住宅の購入規制が導入され、自己居住以外の物件（賃貸事業用不動産）が取得しづらくなっている点がある。近年は、大陸の住宅価格が香港並みに上昇したため、香港の住宅は相対的に安く手に入れることができるようになった。

香港でこのように急激に住宅価格が上昇したのは、大陸からのチャイナマネー流入による高騰にほかならず、結果として、香港の住宅バブルは香港社会に深い断絶をもたらした。すでに持ち家に居住している人は資産価値が「億円単位」に跳ね上がるというバブルの恩恵に浴したが、これから住宅購入を検討しようという人にとっては絶望しか残されていない。若い学生たちがデモに参加して激しい怒りをぶちまけたのは、このような住宅事情にも由来する。

中国客依存のインバウンドが香港に影響

2003年、香港経済はSARSの蔓延により大打撃を受けた。その救済策となったのが、中国の一部の都市からの個人旅行解禁だった。その後、香港は中国人観光客を中心としたインバウンド産業が大いに発展したが、結果として香港の街は「中国人客好み」にガラリと変化してしまった。

現在の香港の街を象徴するのは、ビクトリアピークでも女人街でもない。今やどこに行ってもドラッグストアと宝飾品チェーンばかりが視界に飛び込んでくる。この光景こそが、中国人観光客にのめり込んでしまった香港の姿である。中国人観光客が欲しがる商品と店づくりを追い求めた結果、香港の街はドラッグ・コスメチェーンの「莎莎」「卓悦」、宝飾品チェーンの「周生生」「周大福」の商業看板に埋め尽くされてしまった。中国人観光客がスーツケースを転がしながら徘徊し、買った商品を詰め込むシーンは「爆買い」に沸いた数年前の日本とまったく同じ光景だ。

旺角《モンコック》在住の香港人は、「ラーメン屋が立ち退かされ、入ってきたのは中国人客目当てのドラッグストアだ。家の周辺にはすでにドラッグストアが10軒以上もある。こんなに何店舗も必要ないよ」と呆れて言い放った。香港経済が中国人客目当てのインバウンドに傾斜して生活環境が大きく変わったことも、地元民の大きな不満になっていた。

そして２０１９年、大規模な抗議デモが反中色を帯びると、大陸からの観光客は激減した。２０１８年の香港には日本の６倍にのぼる５１００万人の中国人観光客が訪れていたが、２０１９年は４３７７万人と、前年比で14％も減少した。市民の反感を買いながらも店舗を増やしたドラッグストアだが、これにより化粧品や薬の販売も大幅に落ち込んだ。２０２０年には追い打ちをかけるようにコロナ禍が香港を直撃した。観光客の８割を中国大陸に依存し続けてきた香港は「中国一極依存のリスク」に直面し、香港のインバウンド事業者は「観光客ゼロ、収入ゼロ」に頭を抱えた。

香港が日本に与える教訓

香港への不動産投資とインバウンド客の増大、そして香港への移民流入は、香港返還後に徐々に進んだ変化だった。しかし、その変化に気づいたときには、香港市民は自分の生存空間をすっかり失ってしまっていた。

香港だけではない。オーストラリアでも中国マネーが集中した都市では、地元民が住宅を買えないという本末転倒な事態が起こった。早晩、日本でも地元民が生まれ育った地元を離れなければならない事態が起こる可能性がある。東京や大阪などの大都市では大きな影響をもたらすことはないだろうが、宮古島など小さい島は不動産相場が都市部よりも安価であるため、あっという間に投機の対象にされてしまう。コロナによって人の往来にストップがかからなければ、〝日本の地方都市の中国化〟は確実に進んでいただろう。

日本全体がすぐに中国に飲み込まれるとはいえないが、大きな時流の中で、それは間違いなく進んでいくと筆者は考えている。それぐらい前代未聞の事態を引き起こす可能性があるのが、中国という大国の影響力の怖さである。

そのきっかけになるのは、不動産投資と人の移動だ。日本政府は2020年に入ってようやく外国人や外国資本による土地取得を制限する検討を始めた。とはいえ、それは米軍や自衛隊などの施設、あるいは原子力発電所周辺など安全保障上の懸念のある地域が対象であり、住民保護の視点はない。

気づいたときには手遅れ——というのが香港の示唆でもある。14億人という世界最大の人口を抱える世界第2位の経済大国を隣国とする以上、日本は土地取引と人の移動については慎重に対応すべきだろう。

香港の街は至る所にドラッグストアができた

中国マネーは不動産に流れ込んだ

5-2 「一国二制度」に呑み込まれる香港

民主・自由以上に生活苦だ

2020年5月、全国人民代表大会は中国主導で制定される「香港国家安全維持法」の方針を採択した。同法は、反独立、反転覆、反干渉、反テロなど反体制活動を禁じるもので、今後、香港に中国政府の出先機関を設け、香港での過激な抗議活動などに法執行するという。中国政府が香港への統制を強めるものとして、民主派や欧米が強い抵抗を示していたが、ついに同法は施行されるに至った。

「返還後50年は一国二制度のもとに、社会主義制度を実施せず資本主義制度を維持する」とした英中共同声明(1984年)を引き継いだ香港基本法(1990年制定)が事実上破られてしまったことに、香港のみならず世界中で「香港は完全に終わった」という絶望の声を生んだ。

2020年1月、筆者は新型コロナウイルスが静かに流行し始める香港を訪れた。地下鉄ではマスク姿の乗客がポツポツと目立つようになっていた。そんな中で、香港の将来について一般市民の意見に耳を傾けることはできないかと、香港島から九龍半島側の旺角《モンコック》を歩き回った。

このエリアには3路線のMRT（地下鉄）が乗り入れているが、東涌《トンチョン》線の奥運《オリンピック》駅を中心に新たな住宅開発が進むのとは対照的に、荃灣《チェンワン》線と観塘《クントン》線の旺角駅の西側エリアには、1階部分に建材店や木材店が入居する古びた建物が集中する。皮肉なことに、デモによる破壊活動が修繕やガラス養生の注文をもたらしたと見えて、どの店も朝から忙しそうだった。

界隈にはいくつかの不動産屋さんがあったが、間口一間の小さい店があったので、恐る恐る扉を押して入ってみた。奥には60歳代と思しき眼鏡をかけたおかっぱ頭の女性が座っていた。そのおばさんは、私が住宅を探しているのだと思いこみ、最近の周辺事情を早口でまくし立てた。

「今の香港に住むなんてやめときなさい。みんなが売り払ってここを出ていくご時世よ、住むなんてとんでもない」

そう吐き捨てるとおもむろに立ち上がり、背後の戸棚からカギを取り出して、筆者の前にジャラリと広げた。

「ほら、こんなに空き家があるんだよ。みんな2019年のデモ続きに嫌気がさして出て行った住人ね。逃げた先はマレーシアや日本、台湾、欧米あたり。私もそろそろ店を畳んで、英国に住む息子のところに行こうかとも考えているのよ」

こんなときこそ、客を言いくるめて入居させるのが不動産業者としての腕の見せ所だが、自らも香港脱出を検討中の彼女には、微塵もそんなところがなかった。筆者を「家を借りに来た客」だと思い込んでいるおばさんは、逆になんとかしてこの街での生活を諦めさせようと必死だった。

旺角エリアは駅の東側に香港有数の繁華街があり、2019年にはここで過激な抗議行動が繰り広げられた。聞けば、あちこちで暴力行為が繰り返され、旺角駅も券売機や改札が破壊され街には煙が上がる日々だったという。彼女自身も催涙弾を受けた後遺症で「以来ずっと調子がおかしい」と、目を潤ませながら話を続けた。

おばさんは話すうちに、中国語を話す筆者が（中国人ではなく）日本人だとわかると、心を許したのか、ペンを握って裏紙に「攬炒（lanchao）」と走り書きした。広東語で「死なばもろとも」という意味である。「若い連中は、すべてを巻き添えにして、自分も亡びる覚悟でデモ活動をやっているんだ」と言い、「あんたはこんなところに来ちゃダメよ」と何度も繰り返した。「攬炒」は、まさに昨今の香港を言い当てた言葉だと感じた。

標準間取りは独房に近い

おばさんは突然思い直したのか、棚から2つの合鍵を取り出し、「ついておいで」と扉を押して外に出た。香港人が住む標準的な部屋を見せてくれるというのだ。

最初に案内してくれたのは、この不動産屋が入っている建物の上の階だった。1階が店舗、2階以上が住宅といういわゆる「下駄履きマンション」で、外壁も内部の共用部も古臭く、率直にいえば古くてみすぼらしい感じだったのだが、そのマンションの住民は、香港の中間層と思しき人々だった。子連れのファミリー世帯や高齢者とすれ違ったが、身なりは決して悪いものではなかった。

10階建ての住宅にはいつ故障してもおかしくないほど古びたエレベーターがあり、私たちはボタンを押した先の7階で降りた。「ここは月賃料5000香港ドル（約7万円）の部屋よ」と言い、おばさんがガチャリと扉を開けると、独房のような部屋が1つあった。右手には簡単な炊事場があるだけだ。およそ10平米だというから、「6畳一間」といったところである。「ここにベッドを置いたら机はどこに置くの？　クローゼットは？　本棚は？」――と筆者はおばさんに訊ねようとしたがやめた。これが愚問であることに気づいたからだ。窓はあるものの極小サイズで、竿を使って洗濯物を干せるような環境ではなかった。トイレは共同で、他人が汚したトイレを我慢しながら使うのかと想像すると気分が滅入った。小さくなって生きる、これが香港の一般市民の現実だった。別の建物の部屋も案内してくれたが、薄汚れた壁には落書きも多く、その中に「我想死（死にたい）」という殴り書きを目撃したときには、さらに気分が落ち込んだ。

1970年代に日本に留学をした経験を持つ香港人のS氏は、「当時、3畳一間で生活する日本の友人が何人かいましたが、現代の香港の一般市民の住宅事情もそれに近いものがあります。3畳間といえば約5平米ですが、今の香港都心部ではわずか10平米のワンルームに居住する市民が少なくありません」と語ってくれたが、筆者が目にしたこの部屋の狭さとぴったり合致する。

しかも、そこに住んでいるのは単身者ではない。不動産業を経営する日本人のT氏は「10平米のワンルームに二段ベッドを置き、家族3人が住む世帯もあります。あまりの狭さに、結婚しても夫婦は新婚生活も送らずに、それぞれの親元に住み続けるケースすらあるのです」と打ち明ける。夫婦共働きでも、収入はそのまま家賃に消えてしまうのが実情なのだ。

香港では路上生活者も少なくない。湾仔駅近くのマクドナルドでは、深夜、内部の様子を伺いながら、店内に入ろうとする男性を見かけた。束ねられている髪の毛は脂っぽく、服もだいぶ着古したものだ。恐らくここで一夜を明かしたいのではないだろうか。すでに店内にはテーブルに顔をうずめるようにして眠る男性もいた。

家賃が払えず追い出されたのか、家財道具をそのまま持ち出し、路上に布団を敷いて寝起きする生活者もいた。路上生活者の実態がテレビ番組になるほどだ。香港で広がるのは明らかに「生活格差」だった。

一方で、筆者の中国人の友人が、新界《ニューテリトリー》で豪邸を購入したことはすでに述べたが、戸当たりの面積が200平米強で、今では3000万香港ドル（約4億2000万円）の値段がついているその住宅は、3階からは深圳の街が見渡せるとても贅沢なものだった。

大陸人のせいで公団住宅に入れない

この不動産屋さんのおばさんは「香港に来る大陸人はみな『公団目当て』『救済金目当て』だ」と怒っていた。救済金とは、香港政府による生活補助のことだろう。自分たちの生活すらカツカツなのに、大陸人が「いいとこどり」をしていく――おばさんに限らず、香港市民は相当頭にきている様子だった。

「一番気の毒なのは大卒の若者よ。彼らにはすでに公団住宅の申請資格がないの。応募には年収の限度額があって、大卒だとこのラインを上回ってしまうから。せっかくいい大学を出たって香港では前途がないから、彼らはデモで政府批判するしかないのよ」

おばさんは「香港のデモが過激化したのは大陸の影響だ」と何度も繰り返していた。香港特別行政区政府は、大陸からの「新移民」を積極的に受け入れている。香港返還から20年を経た2017年には、その数は100万人を超えた。定住を許可するビザ発給の割り当ては、1982年に香港英国政府と中国政府の間で「1日75件」と協議されたが、現在は150件に倍増している。

増え続ける「新移民」の最大の問題は住宅だ。香港は人口の4割以上が公営住宅に居住しているというが、大陸からの新移民による公営住宅への入居申請が増加したため競争率が高くなり、私営住宅の家賃高騰を招いている。本当に公営住宅に住みたいと思っている地元香港人は、さらに辛抱強く待たなければならない。

地元紙の「香港経済日報」は「2018年における香港の人口増加は前年比で6万9400人、このうち大陸からの新移民が占める人口は4万2300人」と報じ、大陸の新移民が6割以上も占めていることを示した。前出の不動産業経営者・T氏も「5年待っても公営住宅入居の順番が回って来ないのは、明らかに大陸の中国人が優先的に入居しているためです」と語る。

おばさんは別れ際に、「実は自分も1991年に浙江省の寧波市から香港に渡ってきた」と明かしたが、「大陸人は品がないから大嫌いだ」という話ぶりから「今では自分は香港人」という強い意識が伺えた。移民して30年経てばすっかりその土地の人となるのだろう。

2002年当時、香港の人口は600万人だったが、2019年には750万人を超えた。大陸からの移民の割合が高まりつつあるとはいえ、人々はいずれこのおばさんのように「香港人」になっていくのかもしれない。

住宅問題を解決する「大湾区構想」

デモ隊の破壊活動の結果、香港の街は「ボロボロ」になってしまった。街中至る所、スプレーによる落書きが痛々しい。次世代に継承すべき自分たちの街を、結果として暴力で傷つけてしまったのだとしたら大変残念なことである。筆者の単純な想像に過ぎないが、仮に街を破壊し荒廃させることで地価を下げれば、一般庶民にとっては賃料負担が減る。そんな作用に期待しているとすれば、あまりに悲しい現実だ。実際に筆者が香港を訪れた2020年1月初頭には、不動産価格はすでに下落を始めていた。

これまでに、住宅問題の解決策はあるにはあった。宅地の新規開発としては、ランタオ島東部にある4つの人工島を対象に計画が浮上したが、高額（工事費5000億香港ドル＝約7兆円）な上に「環境に影響を及ぼす」との理由で、反対意見も上がっていた。ランタオ島と香港島の間につくる1700ヘクタールの人工島案もあったが、これにも反対意見が出ていた。これ以外にも、使用されなくなった新界屯門内河《コンテナターミナル》の再開発や、香港の陸地面積の4割を占める公園の宅地化計画、財閥が所有する1000ヘクタールの宅地転用計画などがあるが、これらに期待を抱くことは難しいともいわれていた。

一方で2018年、中国政府は、広東（粤）・香港（港）・マカオ（澳）を統合したベイエリア地域（大湾区）を対象とする「粤港澳大湾区発展計画」を打ち出した。その綱要は、以下のように掲げられている。

「『一国二制度』の実践内容を豊かにする、香港・マカオの経済社会の発展、および香港・マカオ同胞が内地に進出する機会をより多くもたらす高レベルな国際経済協力プラットフォームを建設し、『一帯一路』の構築を推進する」

これは実質的に、香港とマカオを中国の発展に取り込むための計画であり、香港の中国化を進める構想であることは間違いない。だが、そこには注目すべき興味深い動きがある。

2019年11月6日、香港政府行政長官の林鄭月娥氏が中央政府を訪問した際、林鄭氏は16項目の政策を打ち出した。それは、①大湾区域内に住宅を購入できる　②内地（中国本土）でモバイル決済ができる　③内地で銀行口座を開設できる　④内地で働く香港・マカオ居民は内地の子女と同等の教育を受けることができる　⑤香港・マカオ居民が大湾区で往来することに対し便宜を与える……などだ。これはまさしく「香港人の中国移住計画」にほかならない。

懸案の住宅問題は、中国政府が掲げた大湾区構想の中で解決しようというのだろうか。もはや香港内での住宅問題にみる偏った富の分配は、今の香港特別行政区には解決することは不可能だ。それを解決する唯一の方法が、香港の住民を内地に移転させること――この政策をこのように解釈することもできるのだ。

もちろん、香港人が香港人としてのアイデンティティを強めている中で、こうした政策を拒絶する声もあるだろうし、そう簡単に移動が進むとは思えない。その一方で、すでに香港の新聞に大湾区構想のもとで進む住宅販売の広告が大々的に掲載されている現実を見ると、人の移動を利用して大陸と香港を融合させようという、そんな中国の思惑が着々と進んでいることが伺えるのだ。

「新移民」の香港定住と香港市民の内地移住によって、香港と本土との一体化が進む。恐らく中国は、台湾と大陸間でも人々の移住を可能にさせる政策を打ち出すのではないだろうか。もとより台湾統一は習近平国家主席の悲願であり、香港はそのための橋頭堡だといわれるが、世界がコロナで右往左往している間に、中国はこうした動きを一気に加速させてしまうかもしれない。

香港旺角の集合住宅には「死にたい」の落書きが

10 平米のワンルームに一家が住むケースも

5-3 「小確幸《しょうかっこう》」が今なお台湾市民に響く理由

「スクーターで旅行」がうれしい

「小さいけれど、確かな幸せ」──村上春樹氏のエッセイ『うずまき猫のみつけかた』（新潮文庫）の中でこの言葉は「小確幸《しょうかっこう》」という造語で紹介されている。２０１４年前後に台湾や中国の漢字文化圏で流行語となり、一大ブームとなった。

そのブームはすでに過ぎ去ったものの、「小確幸《シャオチュエシン》」という言葉は今なお台湾市民の心の中に生きている。むしろ、日本以上に台湾でこの言葉が浸透しているのが不思議なくらいである。

筆者は訪問先の台湾南部の高雄市で「ああ、これが小確幸なのだな」と実感したことがあった。それは自強三路の界隈を逍遥していたときのことだった。

そこに1軒の焼き芋屋さんがあった。焼き芋に執着を持つ筆者はここを素通りすることはできず、昼ご飯を食べたばかりだというのについ買ってしまった。お店の奥さんは「この焼き芋は炭火で焼いているからね、しかも竜眼の木なんだよ」と言い、良い形のものを選んでくれた。確かにそれは香ばしい〝こだわりの焼き芋〟だった。

お店のご主人は人なつこい性格で、筆者が日本人だと知るや、覚えた日本語をやたらと使いたがった。日本語だけではなく、ドイツ語もイタリア語も勉強したという。「まあ、ここに座って食べていきなよ」という勧めに従い、焼き芋を食べながら少しおしゃべりをしたのだが、ご主人はとても饒舌だった。この焼き芋屋の夫婦は70歳前後と思われたが、彼はスマホを取り出して夫婦の自慢話を始めた。

「昨年、うちのやつと一緒にバイクに乗って台湾を一周したんだ」と言い、画像を何枚も見せてくれた。そこには二輪車に乗った夫婦の姿が映っていた。ハーレーでもトライアンフでもない、小さな白いスクーターだった。

中国では「小確幸」は浸透せず

中国の上海では、焼き芋売りは外地人（上海戸籍ではない出稼ぎ労働者）の仕事だし、バイク（ガソリン車ではなく電動二輪が主流）で旅に出たからといって自慢話になりはしない。人々の耳目を集める話題といえば、高級車や高級ホテルの利用、高級住宅の居住、高額のショッピングなど「金額に置き換えられる価値」が主流を占める。

上海の友人である彭さん（仮名、30代）に、「小確幸」という言葉を知っているかと訊いてみた。すると、「この言葉は2010年代の中頃に、台湾経由で中国にも入ってきました」

と言う。日本を起点に台湾で流行したのち、中国にも伝わったのだが、彼女は「これを価値だと思うのは一部の人たちですよ」と言う。「小さく確かな幸せ」が人々の価値観とはならない理由を、彼女はこう続けた。

「今の中国では、住宅は価格が上がり過ぎて、給与所得だけでは買うことができません。子どもが生まれれば、人よりもいい教育を与えるにはどうするかを考えます。乗っている車は安物だと馬鹿にされ、持っているバッグは一流ブランド品でなければ見下される。結局、中国では〝すべてがお金〟という価値につながってしまうんです……」

経済もピークを過ぎて我に返った？

「あなたとしゃべっているこの時間が、私にとって小確幸」――台湾在住の女性、林さん（仮名、50代）は、筆者にそう言ってくれた。子育ても一段落し、今は好きな本を読みながら静かな生活を送っているという。

「台湾の誰しもが、お金やモノではない〝無形のもの〟がもたらす幸福を感じられるようになっています。台湾人が日本人に共感するのは、日本人こそ小さな幸せを大事にしてい

ると思うからなのです」（林さん）

もちろん、初めから台湾の人々にこうした価値観があったわけではない。１９７０年代後半から１９９０年代後半にかけての台湾は、経済のグローバル化とともに経済成長が続き、高度な工業化を達成して市民生活が豊かになった。この間の台湾人の生活を別の友人は「ギラギラしていた」と表現していた。

２０００年代はＩＴバブルの崩壊とリーマンショックで成長も落ち込んだが、リーマンショック後は国民党の馬英九政権（２００８～２０１６年）の親中政策の影響で、大陸から「ヒト・モノ・カネ」が流れ込み、台湾経済は熱を帯びた。

しかし、２０１６年に蔡英文氏が総統に選任され、国民党から民進党に政権交代すると、政策は一転し、大陸との関係に一線を画すようになる。確かに大陸との往来は台湾を潤したが、失うものも多かったからだ。その後、台湾経済は沈んだ。

台湾人の父親を持ち、自らも日台間を頻繁に往復する会社経営者の高さん（仮名、40代）はこう語る。

「今後、台湾が飛躍的に発展するとは誰も思っていません。給与相場も中国が台湾を上回り、今では台湾の若者が中国に出稼ぎに行く時代です。２０１９年から生産年齢人口は減少に転じ、社会福祉制度の維持も困難になるでしょう。台湾企業も守りに入り、ボーナスを弾むことなど考えられなくなってしまいました。台湾人ができることといえば、『食べていける範囲で生きる』程度の、慎ましやかな生活でしかないのです」

そんな台湾は２０１９年に大陸に進出した台湾企業を台湾に戻す政策を打ち出した。きっかけは米中関係の悪化だが、これにより、企業の対中進出で空洞化した産業を取り戻そうというビジョンを打ち出したのだ。もしこれが成功し、台湾経済が息を吹き返せばしめたものだが、そう簡単には先行きの不透明感は払拭できるものではない。

台湾の人々が「小確幸」を求めるのは、大陸が台湾に与え続けている将来に対する不安感と深く関係している。

「大陸との関係」がもたらしたもの

台湾の人々は、２０１９年の香港デモを固唾を呑んで見守っていた。１９８７年に戒厳令が解除されて以降、民主化を推し進めてきた台湾にとって「一国二制度」のもとで変貌する香港は、決して他人事ではなかった。前出の林さんはこう語る。

「２０１４年に起こった香港の雨傘運動では、香港の大人たちは『経済が大事だ』と、運動に否定的でした。私の友人も『子供は子供らしく大学で勉強していればいいのだ』と話していました。雨傘運動は燃え尽きましたが、今回の抗議デモは違いました」

雨傘運動以降、香港は大きく変わった。2018年、中国は香港に通じる巨大な橋を開通させ（港珠澳大橋）、鉄道路も延伸した（広深港高速鉄道）。中国経済圏に取り込まれれば経済的に豊かになる――その序章が始まったのだ。「広東省・香港・マカオベイエリア（粤港澳大湾区）構想」の名のもとに、香港の中国化がいっそう進んだ。

台湾と香港が置かれた〝命運〟には共通点がある。それは「中国の経済発展」に反比例するかのように、台湾や香港は衰退の道をたどったということだ。かつて、ビジネスにおいて台湾は中国にとっての〝お手本〟だったが、その関係は今では逆転してしまった。台湾を訪れた中国からの観光客は「大陸の方が発展している、見るべきものはない」と、けんもほろろだ。

そんな台湾がさらなる発展を目指そうとすれば、中国と手を携えるしかない。しかし、台湾の人々はすでに懲りている。

2008年に親中派の馬英九が台湾総統に就任すると、中国マネーが台湾にどっと入ってきたが、投資が向かった先は、不動産業と観光業だった。この時期、台湾では中国からのインバウンドで盛り上がったが、蓋を開ければ、儲かったのは一部の大手企業と中国企業だけだったのである。

中国からのマネーは、ホテルや旅行会社のみならず、ツアー客が訪れる先の土産店にまで及んだ。台湾の名産はパイナップルケーキであることから、パイナップルの加工工場さえも買収されたという。頭から尻尾の先まで、すべてを押さえこんでしまう中国資本独特の経営手法は「一《イー》条《ティアオ》龍《ロン》」と呼ばれ、台湾の市民や事業者は次第に〝インバウンド熱〟から冷めていった。ご存じのように、日本のインバウンドでもまさに同じような現象が起きていた。

２０１６年に民進党の蔡英文氏に政権が交代すると、台湾のインバウンドは、中国からの観光客が日本・韓国・ベトナムなどからの観光客に取って代わるようになった。特に増えたのは日本人観光客だという。

「日本人客は大陸客に比べれば1人当たりの消費単価は低いかもしれませんが、昔使われていた籠や伝統的な布など、これまで中国人が買わないようなものに目をつけてくれ、そこに価値が生まれるようになりました。おかげで、こうした小物を扱う洒落た専門店が増え、小さなイノベーションが進み、街全体がとてもいい雰囲気になりました」（林さん）

中国客好みにシフトしてしまえば、香港のように街がドラッグストアと宝飾店で埋め尽くされてしまう。台湾はすんでのところでこれを食い止めたといえよう。

「中小企業が多い台湾は、小規模経営を維持することが重要です。中小企業の経営者も、身の丈の価値観を大事にしているのです。まさに〝小確幸〟だといえますね」（同）

米中対立を好機と読む台湾の人々

台湾は、2020年1月に行われた総統選挙で蔡英文政権が続投することになった。国民党が勝てば中国からの投資も活発になるが、その代償として台湾の中国化が進む。蔡氏の再選は、ひとまずそのリスクはなくなったことを意味した。

しかし、コロナ禍で米中対立が先鋭化すると、台湾はまさに、米中対立の主戦場と化した。2020年秋、台湾では上空を多くの戦闘機が横切っていく日々が続いた。中国人民解放軍の軍用機が台湾の防空識別圏内への侵入を常態化させ、また米軍機も台湾海峡の中国と台湾の中間線を飛行した。台湾ではメディアも「開戦が近づいている」と煽り、巷でもさまざまな〝万が一の憶測〟が飛び交った。筆者は、台湾の人々は恐々としているのではないかと案じた。

だが、彼らはしたたかだった。「トランプ大統領を利用すれば、台湾は独立できるのではないか」という野望すら抱いていた。「ボイスオブアメリカ」電子版によると、「中国との平和関係を維持した上での独立」への支持率は63・4％に上った（「TEDS（台湾選挙と民主化調査）」が行った調査）。

２０２０年の双十節（中華民国の建国記念日、10月10日）に、台北駐日本経済文化代表処は祝賀メッセージのビデオを配信したが、そこにはある変化が見て取れた。ビデオの中で「台湾は小さな国ではありますが」――と言うように「国」という言葉が繰り返し使われていたのである。東京に在住する台湾出身の女性は「従来は中国の顔色を見て、〝国〟という表現は控えめにしてきたが、打って変わって大胆になって驚いた」と語る。

台湾はすでに２０１９年から、サプライチェーンを中国から東南アジアや南アジアに移転させる「南下政策」を推し進めている。インドは中国の製品やサービスをボイコットする一方で、台湾からの投資を歓迎している。この双十節で、在インド中国大使館が、台湾を国として捉えたり、蔡英文総統を一国のトップとみなしたりしないよう、インドのメディアに圧力をかけると、インドのジャーナリストたちは「台湾の建国記念日」をハッシュタグで拡散させて反発した。

台湾は、米国のみならず、インドの後ろ盾までも得た形となった。中国の包囲網は確実に広がっている。在日台湾人の張さん（仮名、60代）は、筆者に向かって真顔でこう言った。

「恐らく米国は日本に対して、米国側につくのか、中国側につくのか、どっちかに決めろと迫ってくるに違いない。早晩、日本も立場を表明するべきときが来るでしょう」

米中対立を好機と読む台湾の人々だが、彼らには長年にわたる懊悩があった。前出の林さんはこう吐露する。

「台湾は歴史の節々で〝里子〟に出されてきました。オランダによる占領時代もあれば、日本による統治時代もありました。台湾人がずっと手に入れられないものは、〝国家としての独立〟です。これは私たちにとって永遠のテーマなのです」

台湾には今、仏教ブームが訪れているという。台湾の宗教事情に詳しい専門家はこう語っている。

「未来を展望することが困難な台湾の人々にとって、唯一確実なのは『今』であり、『せめて今をよく生きよう』ともがいています。どうすれば今を大切に生きることができるのか、その方法を寺に学びに行っているのです」

足元にある小さな幸せや喜びを感じることは、「その瞬間をよく生きること」でもある。「小確幸」は根底で仏教思想にもつながっているのだ。

お金がなくても、生涯借家住まいでも、ブランド品などを持たなくても――。「小さな幸せでいい」と満足できる人は「目先の利益」を追うことから解放される。台湾の人々は、中国とのビジネスを通して、ひとつの「解」を導き出したようだ。

小確幸を語ってくれたご主人が営む焼き芋屋

中国からの観光客は失ったが、日本、韓国、ベトナムの観光客でにぎわう

5-4 アジアの華人社会に共通する「中華的価値観」

デモクラシー（民主）は英国の置き土産

中国と西側先進国の価値観のせめぎあいが顕在化する香港だが、1997年に返還される前の香港では、人々はどんな価値観を持って生活していたのだろうか。80年代に日本興業銀行の香港支店に駐在していた海保欣司氏に訊ねると「自治権が与えられない植民地政府のもとでは、人々の政治的関心は低く、金儲けに楽しみを見出していたというのが印象だった」と率直な感想を語ってくれた。

ここで香港の数奇な運命を振り返ってみたい。それは、1842年にアヘン戦争の講和条約として南京条約が締結され、清国から英国へ香港島が割譲されたことから始まる180年近い歴史だ。そこにはどんな「民主化」の歴史があるのだろうか。

1843年、香港では香港総督と総督が選出した官守議員から成る立法局が立ち上がった。1850年からこの立法局に、総督による選出でない「非官守議員」の議席が設けられた。その後、1880年には初の華人議員が選ばれ、1946年には非官守議席は7議席まで増えた。それでも香港総督の地位と権力は非常に強く、「総督は女王に責任を負い、また女王を代表する唯一無二の最高権威」だとされてきた。

１９８４年12月、英中両国は返還後の香港政策の方針を記述した共同声明に署名した（英中共同声明）。それに先立つ7月、香港当局は議会制民主主義の導入を発表し、非官守議員に取って代わる形で民選議員を増やし、また官守議員も減らす方向性を打ち出した。9月に行われた立法会の民選議員選挙では24名が選出され、議員の総数の42％を占めるに至った。

香港の市民は１９８４年まで民主的な政治というものを経験したことはないといわれている。香港で出版された『20世紀的香港』（麒麟書業、初版１９９５年）には、「香港はひとつの残酷な社会でもあり、大衆の不満が社会動乱を引き起こしたことさえあった」という描写があるように、私たちのイメージする香港とは異なる歴史が存在する。

香港の学者の論文を集めた『20世紀的香港』の第9章は、香港在住の歴史学者である劉蜀永氏が執筆したものだが、そこには第二次世界大戦後から香港返還に至るまでの、香港当局と英国政府のやり取りが克明に描写されている。戦後、インド、スリランカ、ビルマ（ミャンマー）などで進んだ民族独立とともに英国植民地は瓦解し、英国政府は甚大な損失とともに、最後に残った香港の貿易利権をいかに死守するかに奔走していた。

１９４９年を前後して、人民解放軍が中国東北部の全域を解放すると、中国の共産化を懸念した香港当局は、「公安条例」を制定して香港内で騒乱を先導した者を逮捕した。また、「教育修正条例」を制定して「思想上の問題あり」とした学校を閉鎖するなどし、民衆への締め付けを強めた。英国からは援軍も送られてきたが、筆者の劉氏はその背景について「新中国は香港の住民にとって巨大な吸引力となると同時に、香港当局は香港市民が英国の統治を支持しなくなることを懸念した」と綴っている。

かつてタイムズ誌の海外特派記者を務めたジェームズ・モリス氏は、著書『大英帝国的最終章』で、彼が1960年代に訪れた香港には「公共住宅さえもなく、劣悪な環境で働く市民が存在していた」と記している。英国の国会議員には「香港に議会を設立せよ」と主張する者もいたようだが、香港の植民地政府は「自治政府のいかなる措置も北京当局の不満を引き起こす可能性がある」とし、現状維持の姿勢を崩さなかった。北京の顔色を伺っているようでもあるが、同著には「多くの華人は民選政府の理念を信じていなかった」とある。

しかし、中国返還が決まると、香港当局はにわかに政治制度の民主化を打ち出し、「1997年以前に政治制度を変え、1997年以降もそれが継続するようにする」と発表した。当然のことながら、中国政府はこれに難色を示した。返還直前に打ち出された香港の民主制度は、現在に至っても完全な民主化を実現していない。「民主化は英国の置き土産」だといわれるが、却って香港に対立と分裂をもたらしてしまった可能性がある。

政治的民主はないが、自由闊達さはあった

波乱万丈の歴史をたどる香港にも「香港らしさ」というものが存在したようだ。それは香港で花開いた中華的な自由闊達さとでもいうのだろうか。１９７０年代に香港に長期滞在した経験を持つ愛知大学名誉教授の加々美光行氏は、筆者の取材に対し次のように語っている。

「香港は世界から資本が集まる一方、闇の世界が大きく、各国のスパイが暗躍する土地柄でした。金持ちが住まう高級住宅地が点在する一方で、その足元には猥雑な下町が広がっていたのです。香港には大陸から毎年のようになだれ込んでくる人口があり、文革終結期の１９７６年前後や、１９８９年６月の天安門事件後などで流入のピークが形成されました。香港は、文革により大陸で失われた昔ながらの風習もたくさん残る街でもありました。香港市民の所得には確かに格差がありましたが、豊かになれる機会は均等でした。ユニークなアイディアとやる気さえあれば、資金がなくても事業を始めることができましたが、その核心となるのが『人脈』でした。第25代香港総督（クロフォード・マレー・マクレホース、在任期間１９７１〜１９８２年）による治世が始まった１９７０年代は『小さな政府』の在り方を徹底し、『少ない投資で最大の効果』をモットーに、英国官僚の駐在を少数にとどめ、圧倒的多くを香港人の公務員が占めるという形での統治を行っていました。また公共投資は住宅など一部のインフラに限定し、それ以外は個人や団体など民間主導で投資をさせた時代でもありました。その最たる事例が教育機関で、香港では富裕層が中学校や高校を寄付し、そこに自分の名前をつけるというのが一般的でした。香港大学の中には個人の名がついた図書館があり、また奨学金も発達していました。行政がやるべき教育・福祉を支えたのは、こうした慈善事業でした。橋梁や高速道路、病院や学校は華僑華人の香港資本で建設し、国の厄介にならず、また国がなくてもやれるように、自由闊達に社会を形成していく——香港は『レッセフェール』（自由放任）の精神に溢れ、『小さな政府』のもとで市民はいきいきと生活していたのです」

前出のジェームズ・モリス氏の著書にも、「植民地政府は、民間企業が発展できるように儒教の秩序を提供することだと考えていた」と書かれているのは興味深い。同氏は「金持ちはより金持ちに、貧乏人はより貧しくならないという、非常に優れた独裁体制を英国人は提供した」とも記している。

李敖氏は台湾の著名な作家であり歴史学者だ。2018年に故人となったが、2005年9月、香港で行われた記者会見で「中英共同声明後の過渡期において、英国は香港にデモクラシーを持ち込んだが、香港人はその実、何をデモクラシーと呼ぶのか、真の意味を理解していなかったところがある」とする自説を述べていた。香港には民主政治があったわけでもなかったし、面積も小さく、資源にも恵まれてはいなかったが、１９７０~80年代にはアジアの「４つの龍」の１つとして高い経済発展を遂げた――、というのが李氏の主張である。

また、当時の香港については加々美氏もこう述べている。

「70年代の香港には、中国大陸にあるような政治支配的な制度は存在せず、かといって、欧米的な民主主義が民衆の生活に関わってくることもありませんでした。むしろ当時の香港は非民主主義でしたが、そこには自由放任がありました。自由放任だけれども秩序が成立し、社会として繁栄したのが当時の香港だったのです」

香港にあった自由闊達さの中には、自分の意見を自由に発言できる「言論の自由」もあり、「政治や政治家を批判できる自由」もそれに含まれた。中国大陸の間には埋めがたい価値観の溝があるが、中国と香港が決定的に異なるのは、こうした「精神的自由」を享受できるかどうかにある。中国大陸による支配が強まれば、間違いなくこの「自由」が失われる。香港で学生を中心に多くの若者がデモ活動で闘ったのは、国家権力により「自由」が奪われることに抵抗をしたからでもあった。

華人博物館で見たアジア共通の生活スタイル

大陸とも違う、また欧米とも違う――そういう世界観について、筆者も思うところがある。バンコクのワットトライミットという寺院の中に、バンコクの華人の歴史を展示した博物館がある。ここには、１９５０年代にバンコク最大の商業地区に発展した「ヤワラー通り」の様子がジオラマで表現されている一角がある。入館者もまばらな、ひっそりとして薄暗いブースの展示物が物語るのは、懸命に働き、家族を養い、財を築いて子孫を繁栄させるという華人たちの活き活きとした生活だ。

朝早くに市場で買い物をし、夜遅くまで働き、縁日には廟に行って家族の健康や商売の繁盛を祈る。貯めたお金を故郷に送金したり、慈善事業に寄付したりする。同郷ごとにまとまって、自発的な社会活動をしたりするのも共通する特徴だ。民主や自由という欧米の価値観とは異なる「現実的な思考」のなかで営まれる生活は、在外の華人たちにも共通するものだといえよう。

筆者はこれまでに多くの中国人や在外の華僑・華人と接してきたが、「中国人はそもそも、民主や自由に関心を持たない」というコメントを何度となく耳にしてきた。「中国人だけではない、世界に散らばる中華民族は生活のため、商売のために利益追求を優先する」と聞いたことがある。台湾人の友人は「お金のためなら、民主や自由を潔く諦めるのが中国人だ」

とも話していた。中国語圏の人々はこうした現実的な思考の中で生きているのだといえるだろう。

筆者は１９９０年代の初めに、シンガポールの華僑の友人宅でしばらく生活したことがある。一家三代が同居し、暦に従って先祖や土地神様に線香や供物を捧げるなど、親から受け継いだ中華文化を日常生活の中で実践していた。シンガポールは英語が公用語で、西洋の教育制度を取り入れていたが、中華系の家庭では広東語や福建語などを話し、そこで自らのアイデンティティと文化基盤を養っていた。

「現実的な思考」は必ずしも「自分さえよければ」ということを意味しない。シンガポールには、成功者が慈善のために寄付をして、恵まれない同胞を援助する習慣も存在した。台湾にも、香港やシンガポールと同じように、成功者は積極的に基金を設立し、災害時などに社会に役立てるしくみがある。

社会秩序に力を発揮する台湾の主婦たち

一方で、今回のコロナ禍では、台湾がその封じ込めに成功した。２００３年のＳＡＲＳ流行の直後に中央感染症指揮センターを設立していたこと、武漢からの直行便に対して迅速に検査体制を確立させたこと、マスクの輸出を禁じて増産体制を組み、ＩＴ技術を駆使して配給体制を徹底したことなどが功を奏した。アプリを使った自宅隔離対策や、ボランティアによる社会活動へのサポートも注目を集めた。

実は、台湾にはコロナ対策に貢献した見逃せない人たちがいる。それは「台湾の第三勢力」ともいわれる「主婦たち」だ。彼女たちは日頃から率先してボランティア活動に精を出しており、2週間にわたり隔離された陽性者に対しても、さまざまな手助けをした。台北在住の林さん（仮名）は「1日3食のお弁当はもちろん、おやつを届けたり、お小遣いを渡したりしました」と話す。

こうした「主婦たち」は、コロナ禍の混乱の中で、社会秩序の維持に相当な力を発揮したという。台北市在住の別の友人もこう話していた。

「マスクをしない、列に並ばない、コロナ対策のルールを守らないなどのルール違反者に対し、このおばさんたちが遠慮なく一撃を加えたのです」

日本のコロナ禍でも、全国的に「自粛警察」と呼ばれる人々がルール違反者を諌めているとたびたび報道されたが、日本の場合は、自分の鬱憤晴らしに歪んだ正義をかざして他者を過剰に攻撃した点や、「私に感染したらどうしてくれるんだ」という自己愛的行為という点で、公共の利益を優先するという発想から活動する台湾の主婦らとは、その質が根本的に異なる。

　民主主義を掲げる台湾には公共の利益（＝秩序）を最優先しようと率先して動く人々がおり、その影響力は小さくない。地下鉄の車内で若者が座席に座っているのを見かければ、「譲りなさいよ」とサインを送る。正義感が強く、理にかなったところがあるため、誰もがこれに耳を貸す。市民社会の秩序が保たれているのは、こうした「民の力」のおかげだともいえる。

中国で進む世代交代

　このような事例は、人々の生活に大きく介入する共産圏の中国とは異なる在り方だ。中国では建国からの時の推移とともに、食糧は配給になり、勤労意欲は失われ、文化大革命では寺や廟は破壊され、人々の生活習慣の中でのささやかな信仰や慈善活動は封印されてしまった。その後、鄧小平の改革開放路線で大いなる発展を遂げたが、市民生活は自主的運営からかけ離れ、依然として「上からの管理」を待つものだったことは、第3章で述べたとおりだ。

　筆者は２０１４年まで（その間、一時日本に帰国）の約15年にわたって上海生活を続け、その後も毎年、上海を訪れながら観察を続けているが、そういう中国のすべてを否定的に見ているわけではない。

希望が持てるとしたら、世代交代と若い人々が率先して実践しようとする社会道徳にあると感じている。

２０１９年に訪れた上海ディズニーランドでは、２０１０年の上海万博で見たような割り込みなどのルール違反もなく、若い世代を中心に公共マナーが格段に向上したことが見て取れた。地下鉄の車内では、ニセモノを売り歩く商人に対して、「そんな商売はやめろ」と体を張って注意をする若いお父さんを目撃した。地下鉄の車内では日常茶飯的に「座席を譲る、譲らない」の口論を見たものだったが、それもほぼなくなった。

筆者の中国人の友人は、「他者に譲るのが何より苦痛だと感じるのが大陸の中国人だ」と自嘲気味に話していたが、衣食足りて市民の意識が向上する今、自らの力で社会の秩序を維持しようという変化が徐々に生まれていることは注目に値する。将来、世代交代が進み、自立した市民が増えれば、中国共産党の目標や役割も自ずと変化するのではないだろうか。

中国語圏の人々は「発財（商売繁盛）」を祈る

アジアの華僑に共通する「まずは生活」というライフスタイル。ひたすら稼ぎ、故郷に仕送りをした（バンコク・ワットトライミット寺院の博物館）

コロナ禍を経て中国はよりいっそう自信を深めた

第3部

中国が変える世界のビジネス環境

第6章　デジタル覇権と中国

6-1　「プライバシーの犠牲」がウイルス封じ込めのカギを握った

コロナ禍を経て便利になった上海市民の生活

新型コロナウイルスの再流行を防ぐための策として、中国ではQRコードやSNSを使った健康確認や追跡を徹底させた。その中でも代表的なものが、スマートフォンのアプリで管理する「健康碼（ヘルスコード）」だ。

アプリをインストールし、「過去14日以内に高リスク地域に行ったかどうか」、「感染者や濃厚接触者であるかどうか」、「発熱があるかどうか」、などの質問に回答しながら登録を進める。入力した情報に基づいて「あなたの健康状態」が緑、黄、赤で色分けされる。緑の表示ならば、バスや地下鉄などの公共交通機関を利用でき、デパート、スーパー、コンビニ、観光施設などの商業施設にも出入りできる。黄、赤は一定期間の隔離が要求される。

他方、ヘルスコードを持たない者は、名前や身分証の記入を求められ、14日以内に訪問した場所について厳しく尋ねられる。こうした面倒もあったことから、アプリの利用は瞬く間に普及した。コロナ禍におけるアプリの導入は画期的であり、感染リスクと背中合わせでありながらも人々の移動の利便性を高めたといえる。ＡＩやビッグデータを駆使した分析とその活用も相まって、中国の「コロナ封じ込めモデル」を確立させたのである。

コロナ禍を経て、中国の市民生活はさらに発展した。「市民クラウド」が立ち上がり、各種証明書の入手手続きなどの行政サービスがアプリでできるようになった都市もある。「人との接触回避」は上海でも起こった行動変容の１つだが、その結果、行政手続きも今まで以上にＩＴ化が進んだ。上海の友人は「コロナ禍を経て、生活はとても便利になった」と喜んでいた。

その一方、アプリを通して、個人の学歴から健康情報、借金の有無といった信用状況などの個人データが一カ所に集約されることにもなり、日本人の筆者からすると、プライバシー保護やその扱い方に問題はないのかと心配になる。

中国では「プライバシーなどない」という言葉をよく耳にする。档案《ダンアン》とよばれる自分の経歴を記した身上調書が象徴するように、中国では長年にわたり、国家による国民管理が行われてきた。近年は多くの若い世代がプライバシーに敏感だが、「政府のやることには抵抗できない」とあきらめ、「自分の情報は当然当局に把握されているだろう」という前提で、こうしたサービスを使っている。

日本や欧米諸国は、プライバシー保護への配慮からアプリ開発と普及に時間がかかった。日本では厚生労働省が導入した接触確認アプリ（ＣＯＣＯＡ）があり、近接通信機能（ブルートゥース）を利用して、陽性者と接触した可能性についての通知を受け取ることができるが、「プライバシーの保護」に最大限の配慮がなされているため、これが感染拡大の抑え込みに大いに役立っているという印象はない。

中国では感染者情報をギリギリまで公開

これに対して、中国ではアプリを通して吸収した「感染者情報」を積極的に市民に共有させることで、感染を防ぐ手法を採っている。

大連市では、感染者が増え始めた２０２０年7月22日以降、多くの市民が感染者情報を注視するようになった。「ＣＣＴＶ（中国中央電視台）」が発信する「央視新聞」は、1億１２５０万人がフォローするツイッターのようなＳＮＳだ。7月28日の「央視新聞」は、大連市の新規感染者について次のような形で公表した。

「39人目の感染者。姓は縦。男。32歳。海運会社の車両修理員。現住所は大連湾街道棉花島村。

７月24日に感染者との濃厚接触があったことからＰＣＲ検査をしたところ陽性と判定。現在、隔離治療中。当人との濃厚接触者も隔離して医学観察中。当人の行動経路は以下の通り。７月22日６時30分、１００３番バス（棉花島駅・中遠１号門）で出社。15時、通知を受け自宅隔離……」

同日公表された「43人目の感染者」は、次のように描写されている。

「姓は賀。男。46歳。凱洋食品廠従業員。住所は金州区駅前街道生輝第一城。７月25日に陽性が確認された。当人の行動経路は以下の通り。７月21日、自宅近くの麦加田で外食、７月22日８時、１１６番バス（生輝第一城・終点）で大連金秋実労務派遣有限公司に行く。10時44分、富嘉隆便民市場で買い物、11時、１１６番バスで移動……」

フルネームは伏せながらも、姓や年齢、具体的な勤務先、居住エリアについて取り上げ、行動経路にまで及ぶ詳細な情報を社会に知らしめている。これだけ詳細に取り上げられたら、見る人が見れば感染者個人を特定できてしまう。日本人からすればハラハラさせられるような内容だ。

中国人男性に嫁いだ日本人女性は「プライバシーの重さは日本と中国ではだいぶ違う」と

し、次のように語ってくれた。

「中国は政治体制の違いもあり、『個人の権利』が社会のカルチャーとして根付いていません。相手のプライバシーに踏み込むことは失礼だという感覚はほとんどなく、他人の給料の額も、なぜかみんなが知っています」

行動経路の割り出しを可能にするのが、上述したヘルスコードだ。ここに個人の行動経路が全て記録されており、当局が必要だと判断した場合は、訪れた場所がニュースサイトや微信（ウィーチャット）などの公式サイトで公開される仕組みができ上がっている。

中国では実名リストが簡単に漏洩する

東京に在住する大連市出身の劉さん（仮名、30代）は、自分のスマートフォンを開いて「これ、見てください」と筆者に差し出した。覗き込んでみると、名前、住所、生年月日、職業の詳細が記入された名簿のようなものだった。

「これは何の名簿ですか？」と訊ねたら、「感染者リストです」と言う。彼女の友人がSNSを使って発信した、浙江省の一部のエリアに住む感染者のリストで、それが劉さんの元にも着信したようだった。しかしそれは正規に閲覧できるものではなく、どこからか漏洩し、拡散されたものだという。

どこから漏れたのかは定かではない。「中国ではこうした漏洩はよくあるのか」と複数の中国人に訊ねると、「中国では派出所で身分証の番号を入れると、どこの誰が感染しているかが分かる仕組みになっている。職員が自分のウィーチャットグループでこのリストを公開したのかもしれない」という可能性や、「病院―衛生当局―地方政府で情報が上げられる過程で漏洩したのではないか」などといった可能性があるという。

中国では「個人情報の保護」といった観念は乏しい。これと同じことが西側先進国で起これば一大事だ。中国出身の弁護士に訊ねると「中国では個人情報保護法についてはまだ立法化されていない」と言う。

20年以上にわたり東京で生活し続けてきた中国出身の劉さんにとってさえ、この「実名リスト」はとても生々しく、少なからずショックだったようだ。

「自分の健康のためなら、どんな情報も手に入れたいと思う中国人が圧倒的に多い。自分を守るためには他人のプライバシーをも利用するというわけです」（劉さん）

「ルール違反者」には厳しく

一方で、ここまで詳細な情報が公開されると、感染者本人にとって差別やいじめなどの不利益が生じるのではないかと気になる。大連市在住の趙さん（仮名、20代）によれば、「大連市でも感染者に対する過剰な反応はある」という。

「『すでに治癒している人でも近づかない』『陽性者が一人でもいればその家族とは接触しない』など、対象者を遠ざけようとする行為は日常的に起こっています」

ただ、それはどうも差別やいじめとは違うようだ。趙さんも前述した「央視新聞」のフォロワーで、日々更新される感染者情報を注意深く追っている一人だが、これに関心を持つのは「陽性者が行った場所になるべく行かないようにするため」だという。

「感染したことのある人を差別したり誹謗中傷したりしても、コロナ対策にはなりません。みんなの目的は共通していて、とにかく中国からコロナをなくすということの一点に集中しています」（同）

少なくとも趙さんとその家族や友人は、感染者に対してそれ以上の感情は抱いていないようだ。ただし、「ＰＣＲ検査の結果が出るまでの間、自宅待機もせず、あちこち出歩くような人は許せない」（同）というように、「ルール違反者」に対しては厳しい。

中国の人々は、西側先進国の市民ほどプライバシーには敏感ではないといわれるが、最近は世代交代が進み、社会主義国家の中国でも若い人たちを中心に「プライバシーの侵害」に強い抵抗を持つようになった。筆者が面会した東京在住の中国人留学生たちも、こうした意識がかなり強かった。それでも彼らは、「権利の主張だけでは封じ込めはできない」と一定の譲歩を示していた。

そのうちの一人はこう話していた。

「中国の一連の封じ込め措置は確かに厳しいものですが、私はやっぱり、これが有効な手段だと思っています。日本人の友人にいくら言ってもわかってもらえないのが残念ですが」――。

感染拡大を克服した大連では、秋に日本食品の見本市が開催された
（林慎一郎氏提供）

6-2　便利さはすべてに勝る価値なのか

市民権を得た人工知能搭載の監視カメラ

今や重要な社会インフラとなった非接触型体温計は、コロナ禍の混乱の最中にも中国各社が新型モデルの開発を競い合った。一部の空港や地下鉄などでは、数百人単位の体温測定を漏らさず行う「非接触型ＡＩ体温測定器」が、また一部の町内では1メートルの距離から測定できる「近距離測定体温計」などが導入された。

四川省成都市で、警官が専用ヘルメットを被って体温測定を行っている光景の動画が紹介された。ヘルメットに装着された赤外線カメラを通して、視界メートル範囲の中にいる人の体温を測るというものだが、筆者からすると、まぎれもなく「監視カメラ型体温計」だ。

監視をすることによって、不正や違反を取り除こうというのは中国共産党の常套手段だが、物議を醸した監視カメラも今では抵抗する人もほぼいなくなった。当初は「撮られている、見張られているかと思うとゾッとする」などの意見もあったが、導入から時間を経た現在では「個人の生活に特に支障もないし、何より防犯面でとても安心できる」と、多数の市民が肯定的だ。

愛知大学名誉教授の加々美光行氏は、「国民が監視カメラを許容する根底には、『経済の安定』があります。共産党政権に対する不満も強くないため、監視も気にならず、反論が出にくくなっています」と語る。

一人の中国人を2台のカメラが監視する時代に

中国での監視は今に始まったことではない。日本の戦前・戦中にも、「向こう三軒両隣」という隣組監視制度があったが、中国も「近隣監視制度」で互いの行動や思想を監視し、社会の治安を維持した時代があった。加々美氏によれば、「中央政府による集中監視」が始まったのは、1966年から1976年まで続いた文化大革命の末期だったという。

「文革末期に紅衛兵が『大経験交流』と称し、赤旗を掲げて全国津々浦々を練り歩きました。これにより近隣による相互監視は効果を失って、中央による集中監視が始まったのです」

胡錦濤政権になった2003年、中国は国家予算に国民を監視するための治安維持費を計上するようになった。特に2008年は、3月にチベットやウイグルで暴動が発生し、5月には四川大地震、8月には北京五輪、9月にはリーマンショックと、さまざまな要因が重なったため、治安維持費を一気に増やした年となった。2009年以降も監視体制は年々強化され、2013年に〝転換点〟を迎えた。加々美氏はこう語る。

「2013年の治安維持費は7690億元（当時のレートで約11・5兆円）が組まれ、国防費の7406億元をついに上回ったのです」

2013年の〝転換点〟は、習近平氏の国家主席就任を意味する。2017年の治安維持費は約1兆2400億元（同、約20・9兆円）に達する勢いで増え、国防費1兆444億元（同、約17・6兆円）の約1・2倍となった。習政権が最も危惧しているのが、「内乱」や「革命」であるという内情が、この数字から読み取ることができる。加々美氏は言う。

「軍事費を大幅にオーバーするその費用は、主に監視カメラの設置と治安維持に携わる人件費に投入されています」

中国の監視カメラの数は、2022年に27億6000万台にまで増えるといわれている。一人の中国人を2台のカメラが監視をする世の中になるのだ。筆者の知人たちはもう誰もこれに対する議論をしなくなったように、すべての国民が監視カメラに慣れていくのだろう。

2020年1月に香港の街中を歩いた際、街中の要所、要所に監視カメラが設置されていたが、中国とは違う旧式のもので、その数は本土と比べたらとても少なく感じられた。2018年10月に開業した中国とを結ぶ高速鉄道の香港西九龍駅は、中国の法律が適用されることから「香港のど真ん中にある中華人民共和国」といわれているが、駅構内には、通行者をじっと見つめる無数の最新の監視カメラが設置されていた。市民に対する強い支配というものを感じないではいられなかった。

ドイツでは監視カメラが普及しない

こんなエピソードがある。2019年秋、望月楓さん（仮名、20代）がベルギーのブリュッセルから陸路でドイツに向かおうと、高速鉄道「ICE」に乗車した。ブリュッセル―フランクフルト間は3時間ほどの移動だったが、思わぬトラブルに見舞われたのだ。

ブリュッセル北駅から乗り込んだ望月さんは、車両の出入口付近に設けられた大型荷物置場にキャリーケースを置き、指定の座席に座った。1時間ほどして、ふと荷物置場に目をやると、自分のキャリーケースがない。「まさか」と思って席を立ったときには、すでに時遅しだった。

先頭車両から最後尾の車両まで、全身汗だくになりながらくまなく探すが見当たらない。

どうやら途中駅のケルンで、犯人は荷物を持って降りてしまったようだ。車内の座席は荷物置場に背を向けるようにして配置されている。荷物の安全確保のためには、自分が座るのを諦めてキャリーケースの番人になるしかないが、長距離を移動するための鉄道なので、そんなことをする乗客はひとりもいなかった。こうした環境でトラブルは起こるべくして起こった。

中国旅行も経験していた望月さんは、「中国なら遺失物もすぐに戻ってくるのに！」と地団駄を踏んだ。公共の場や街中に張り巡らされた監視カメラの映像記録を追跡することで、「忘れ物や遺失物がでてきた」という話をよく耳にしていたのである。しかし、ドイツの列車には犯罪抑止のための防犯カメラはなく、途中停車駅の防犯カメラ録画を巻き戻して犯行現場を確認するというような展開にはついに至らなかった。

こうしたテクノロジーがドイツで進みにくいのは、個人の監視に対する抵抗感が大変強いからだという。この抵抗感について、ボン在住の翻訳家である林フーゼル美佳子さんは、次のようにコメントしてくれた。

「ドイツ、特に旧東独では、国家による個人の監視に対する抵抗が強いです。旧東独では秘密警察であるＳＴＡＳＩ（国家保安省）によって、国民はずっと監視下に置かれていましたし、隣人同士の相互監視体制が存在しました。そんな抑圧に反発し、『移動の自由』

をはじめとする民権運動が高まり、1989年のベルリンの壁崩壊と翌年の東西ドイツ統合に至った経緯があります。せっかく勝ち取った自由をみすみす手放したいと思う人はいません。現在のドイツ連邦共和国は旧東独のような一党独裁体制ではないものの、国家権力に対する根本的な不信感は根強く残っていると考えられます」

「移動の自由」と聞いて筆者は、2020年3月、コロナ禍のドイツでメルケル首相が行ったあの名演説を想起した。

「私は保証します。旅行および移動の自由が苦労して勝ち取った権利であるという私のようなものにとっては、このような制限は絶対的に必要な場合のみ正当化されるものです。そうしたことは民主主義社会において決して軽々しく、一時的であっても決められるべきではありません。しかし、それは今、命を救うために不可欠なのです。〈中略〉私たちは民主主義社会です。私たちは強制ではなく、知識の共有と協力によって生きています。これは歴史的な課題であり、力を合わせることでしか乗り越えられません」

これは前出の林さんが訳したA4サイズで4ページにわたる演説からの一部抜粋だが、見て取れるのは、民主主義の理想を大切にする東独出身のメルケル首相にとって、ロックダウンが「苦渋の決断」だったということだ。

ドイツでは２０２０年３月23日から「完全な巣ごもり状態」に入ったが、２週間を待たずして、感染のスピードに鈍化の兆しが認められた。４月２日、ロバートコッホ研究所は「微減の傾向」と静かにコメントし、４月第３週目に入ると「制限緩和」に向けた動きが報道されるようになった。

ドイツは中国のように強権を振りかざすのではなく、まずは国民への呼びかけを行った。欧米国家ではいち早く収束に向けて歩み始めたが、根底にあるのはメルケル演説が呼び覚ました「連帯感」だった。前出の望月さんも「苦しい自粛生活に耐えられたのも、３月18日に行われたメルケル首相の緊急演説が心に響いたから」だとコメントしている。

人権には特に厳しい自由主義国家のドイツでも「外出自粛」が要請された。「人と人の間は１・５メートルの距離を確保」「あらゆる種類の飲食店の営業停止」などの禁止事項が設けられ、これに違反した場合には罰金となった。

その後、欧州では再び感染が拡大した。２０２０年11月、ドイツ、フランス、スペインなど欧州諸国は２度目のロックダウンに入った。このとき欧州でも厳しい状況にあったのがベルギーで、死者数は１万人を超え１０００人に１人の割合に迫っていた。だが、ベルギーはのちに急回復する。その理由は「飲食店と商店の営業停止」だという。一方で、飲食店は営業停止だが、商店の営業が続くドイツでは、感染者数が高止まりしたままとなっていた。

中国ではスマホがなければ生活ができない

中国のデジタル社会はここ数年で急速な発展を遂げた。スマホさえ持てば果てしなく便利な生活を追求できるそのしくみは、もはや日本や欧米先進国を凌駕する。翻せば、スマホがなければ日常生活が送れないことを意味する。

今どきの中国人は通信アプリ「ウィーチャット（微信）」がないと生きてはいけない。中国では、今やありとあらゆるサービスをこのプラットフォームが提供する。名刺交換も、ウィーチャットのＩＤ交換にとって代わられるほどである。ウィーチャットユーザーは自分のアカウントと銀行口座を紐づけることで、キャッシュレス決済も行える。住所、氏名、身分証の番号、会社名、仕事内容、銀行口座番号など、さまざまな個人情報を入力することで、多種多様なサービスを享受することができる。

上海では今、このウィーチャットアカウントを持っていないとパスポート申請もできない。上海在住の日本人女性・畠田瑞穂さん（仮名、40代）は最近こんな光景を目撃した。

「その日、中国人の夫のパスポートを更新するために公安局の出入国管理事務所を訪れました。中に入ると、突然『老人は海外へ行くなというのか！　俺はスマホも持っていないし、ウィーチャットも知らないんだ！』という怒鳴り声を耳にしました。見ると、おじいさんが事務所の担当者と喧嘩していたんです。担当者は『家族か友人を呼んで出直して来い』と冷たく言い放って、相手にしない様子でした」

現在、多くの企業や地方自治体が、ウィーチャットのアプリ上でサービスを提供している。上海市も、公安局がパスポート申請の際の予約や整理番号の配布に、ウィーチャットのアプリを利用しており、アプリがなければ、公的機関が交付する文書ですら手に入れられないという状況なのだ。

筆者は、政府系企業に勤務し、ＩＴソリューションに詳しい張さん（仮名、30代）に、この状況をどう思うか意見を訊ねてみた。すると返ってきたのは、「高齢者を気にしていたら中国は発展しませんよ」というシビアなコメントだった。「人口の２割を切り捨てるのが中国のやり方です」と実にあっけらかんと言い放つ。ＩＴ弱者などはお構いなし、ということか。

言論は不自由だが、中国は超便利社会

日本での生活が20年になる麗麗さん（仮名、40代）は、「ウィーチャットを使って本音を発信すると、とんでもないことが起こる」と言う。中国に在住する親戚が、ある騒動に巻き

込まれたというのだ。

「彼の住んでいる住宅の隣接地でマンションの建設が進められているのですが、その開発事業者についてウィーチャット上でちょっと文句を言ったら、すぐに、彼の自宅に公安が飛んできて、彼に向って『余計なことを言うな』と凄んだそうです。ウィーチャット上の情報発信は公安から見張られているんです。その話を聞いて、思わず背筋が寒くなりました」

中国政府がネット上の情報発信を厳しく監視していることは周知の事実だ。「共産党」「天安門事件」「人権」などが〝特定キーワード〟として監視されているという。北京の地元紙「新京報」は「2013年の時点で、200万人を超える監視従事者がいる」と伝えていたが、2017年にサイバーセキュリティを強化するための法律「インターネット安全法」が制定され、さらに監視が厳しくなった。

市民のたわいのないチャットでさえも監視されている。山東省では、若い女性が「疫病が発生したようだから豚肉や鶏肉を食べないようにしなければ」という内容をウィーチャットに書き込んだら、6〜7人の公安局員が自宅に踏み込んできた。

拘束には至らないもののアカウントを凍結されるケースもある。「甥がウィーチャットのアカウントを凍結された」と話すのは、上海の大手商社（中国企業）に勤務する李さん（仮名、50代）だ。

「甥は友人とのチャットで、うっかり〝特定のキーワード〟を使ったため、即刻ウィーチャットのアカウントが使えなくなってしまいました。気の毒だったのはその先で、ウィーチャットペイにプールしているお金も動かせなくなってしまったのです」

中国政府による監視は今や国境を越える。筆者は、中国以外の国でも使えるグローバル版のウィーチャットを使って、上海在住の日本人とメッセージをやり取りしているが、中国の政治の話だけはしないで、とクギをさされている。

中国では、友人と連絡をとるにも、支払いをするにも、デリバリーを頼むにも、何をするにもウィーチャットを使えば素早くできる。多くの市民はこれこそが「生活水準の向上」だと受け止めている。逆に、ウィーチャットがなければすべてが立ち行かないのだとしたら、こうした「言論の不自由」も受け入れるしかない。

中国の人々は「便利だ、便利だ」と言いながら、結果として、監視社会という大きな鳥かごの中に知らず知らずのうちに取り込まれてしまっているのだ。

いとも簡単に構築される巨大データベース

中国では、国家主導のもとで巨大なデータベースが構築されようとしている。データ収集が企業や国の競争力に直結する昨今、いとも簡単に個人情報を吸い上げて、ビッグデータを構築する中国には、西側先進国も敵わない。

当然のことながら、個人情報の扱いに対して、欧米日など西側先進国は慎重だ。日本経済新聞によれば、2019年夏、米フェイスブックが個人情報を不正に流出させた事件をめぐり、米連邦取引委員会は同社に50億ドル（約5400億円）を課した。ドイツでは同年2月、フェイスブック利用者からのデータ収集を「競争法で禁じる優越的地位の乱用にあたる」と判断し、個人情報を保護するため、データ収集に対して制裁を課した。

一方で、コロナ禍という非常時に、中国の国民が「国家に捧げた一部の個人の権利」は、社会全体を「ウイルス封じ込め」に導くための重要な助けになった。個人が譲歩することは、社会主義国家の国民にとって当たり前であり、振り返れば、中国が短期のうちに高速発展を遂げたのも、「個人の主張」を優先しない社会であることが大前提となっている。そしてこのまま国民が個人の権利を主張しなければ、中国は将来のデジタル社会においてもさらにスピーディーな発展を実現することになる。すなわち、ビッグデータをめぐる世界競争に勝ち、デジタル覇権を握ることが可能になるというわけだ。

中国で多くの視聴者を集める動画に「一勺思想」がある。学術界の著名人が数分の枠内で自身の思想を語るシリーズもののネット配信チャンネルだが、２０２０年5月、退役少将で軍事作家の喬良氏がこれに登壇し、次のように語った。

「こんにち、〝個人のプライバシーの譲渡〟はあらゆるシーンで行われているが、インターネット上でもそれは同様で、すべてのアプリにおいて、『同意』しなければそのサービスが使えないというしくみになっている。逆に、プライバシーを保護しようとしたり、個人の権利の譲渡を拒否したりすれば、社会全体の効率は低下してしまう。個人の一部のプライバシーを譲渡して社会発展に使えば、社会の安全性も保たれ、また『効率』という社会全体の進歩を獲得することができる。プライバシーを重視しない中国人の在り方は、新しい時代の価値観に合致するのだ」

効率ありき、社会ありき、国家の発展ありき――そのためには個人は一部の権利を譲渡せよというメッセージであるかのように聞こえる。中国のデジタル覇権国家への暴走を許せば、14億人の中国人は超監視型の社会の中にがっちりと組み込まれることになる。中国が構築し世界に示そうとするモデルの根底には、まさしく自由や民主への挑戦がある。

近年、中国で「中国の社会秩序は完全に西側とは異なるものだ」という主張をよく耳にするようになった。それが最も顕著に現れたのがコロナ禍で、中国のインテリたちは異口同音に「個人は自分の権利と補償ばかりを主張し、自己の義務や犠牲には目を向けなかった」と、西側の国家制度や社会文化の違いに言及した。

上海で取り付けが進む監視カメラ

その反対に、「人々が団結し社会に対して一定の譲歩を行い、政府に個人の権利の一部を与え、短期のうちにウイルス封じ込めに成功したのが中国だ」と言う。コロナ対策で、プライバシーや個人の権益を犠牲にした中国の国民は、「社会全体の安心安全」を得た。

情報を公開しないことによって守られる個人の権益がある一方で、情報を公開することで社会を守ることもできる。コロナ禍の中国では、「個人の権利の一部」を譲ることで「社会における安全性の確保」を可能にした。だが、このまま突っ走るのは危険だ。ややもすると「技術の進歩」や「国家の覇権」のために国民が利用されることにもなりかねない。本末転倒な社会になってはならないと筆者は強く感じている。

6-3　５G、世界の殺生与奪を中国が握る時代になる

５Gで中国が世界覇権を握ることを強く警戒

新型コロナウイルスが感染拡大し、全米が危機的状況に置かれている中でも、トランプ大統領は中国企業への厳しい制裁を続けていた。

２０２０年4月27日、米連邦通信委員会（ＦＣＣ）は米国に拠点を置く中国通信大手の中国電信（チャイナテレコム）など中国系の通信会社４社に対し、「中国政府から独立していることを証明せよ」と要求した。米国に無線機器を出荷する場合はＦＣＣの認証が必要とされているが、「証明ができなければ、米国での事業免許を取り消す」という。

ＦＣＣがホームページ上で公開した文書は、「中国共産党が表現の自由を阻み、感染拡大に警鐘を鳴らした医師やジャーナリストの失踪がパンデミックを起こした」という理由で、中国共産党とつながりのある通信会社については事業免許を付与できないと伝えた。５月に入ると中国通信機器大手の華為技術（ファーウェイ）への半導体の輸出禁止措置をさらに強化した。米国は、中国が５Ｇ（第5世代）の技術で世界のリーダーシップを取ることを強く警戒している。

中国が5Gを牛耳るなどとは、数年前まで思いもよらぬことだった。モバイルの世界では中国は後発国であり、中国産のスマートフォンが出現しても、中国都市部の中間層はこれに見向きもしなかった。

1999年、中国で筆者が初めて買った携帯電話はノキア（フィンランド）製だった。当時は第2世代（2G）の時代で、NEC（日本）やモトローラ（米国）、シーメンス（ドイツ）、エリクソン（スウェーデン）、フィリップス（オランダ）、アルカテル（フランス）など、日米欧の携帯電話メーカーが中国市場を席捲していた。

2010年代に入ると、米アップル社のスマートフォン「iPhone」を持つことが富裕層のステイタスとなった。しかし、中国での販売価格が高額だったことから密輸事件がたびたび起きた。94台のアイフォンを体にグルグル巻きにして香港から大陸に入ろうとした男が逮捕されるなど、人騒がせな一幕もあった。

ところが、2014年9月を境に、スマートフォンの中国市場は国産メーカーに取って代わる時代になった。市場調査会社のカナリスの発表によると、2019年時点での中国国内シェアは、ファーウェイ（華為技術）38・5％、オッポ（広東欧珀）17・8％、ヴィーヴォ（維沃）17・0％、シャオミ（小米科技）10・5％と、国産メーカー4社が87％を占めるようになる。アップルはわずか9％であり、日欧のメーカーはほぼ淘汰されてしまった。

30年で世界最強になった中国の通信業界

中国郵電部傘下の出版社で多くの書籍出版を手掛けてきた項立剛氏は、過去20年にわたる携帯電話規格の開発の歴史に精通する人物だ。2019年、復旦大学中国研究院が主催した講演会に項氏が登壇し、こう口火を切った。

「30年前には何も持っていなかった中国の通信業界が今では世界最強だ」

項氏は、中国にとってこの20年間は、いかにして自主規格を持つかの奮闘の歴史だったと振り返る。当時、技術も製品も通信規格も持たない中国は、すべてを外国から買わなければならない立場にあった。通信機器のケーブル処理に欠かせない「結束バンド」すら、手に入れることは並大抵ではなかったという。項氏はこう続ける。

「たかが結束バンド1本を購入するだけでも7ドル50セント（2000年のレートで約800円）もした。当時の中国にとって、この高額な外国の設備を購入するのは大変なことだったが、今では自前で製造することができ、しかも1本1毛（日本円で約1・5円）で調達できるようになった」

今から20年以上も前の中国では、携帯電話1台が2万元（30万円前後）もした。項氏によれば、1995年の自身の月給は700元（当時のレートで約8000円）で、携帯の通話料は給料の半分に相当する350元だったという。携帯電話だけではない。中国は完成品にしろ、部材にしろ、外国製品の価格の高さに翻弄され続けていた。

「自分で製造できない限り、高額を支払って高価な製品を外国から買い続けなければならない。このまま行くのか、それとも自分で産業を興すか……」（同）

1998年。中国では到来する3G（第3世代）を目前にし、自分たちの通信規格を持つべきか否かという論争が巻き起こっていた。「自分たちの標準が必要だ」という認識を示したのが、当時の信息産業部電信科学研究院のエンジニアであった李世鶴氏である。のちに李氏は、中国が独自の知的財産権を持つ3Gの携帯電話規格「TD－SCDMAの父」といわれる人物となった。

3Gの移動通信技術は、FDD（周波数分割複信。送信と受信とに別の周波数を割り当て全二重通信を行う電気通信技術）とTDD（時分割複信。1つの周波数で同時送受信に近い状態を可能にする技術）の2つの大きな方向性が確立されていた。李氏は自身が中国郵電部で研究開発を進めるＳＣＤＭＡの技術とドイツのＴＤＤを結合させ、新たな通信規格を作らないかとシーメンス社に持ち掛けた。当時中国のモバイル市場のシェアはゼロに等しく、外国の通信機器メーカーとの協力なしにはＳＣＤＭＡの実用化ができないという苦しい局面に立たされていたからだ。だが、ＥＵがＧＳＭ（第２世代）の標準をＦＤＤに決定したため、この話は流れてしまった。そこで李氏は、ＴＤＤとＳＣＤＭＡの開発を自ら行い、わずか６カ月で「ＴＤ－ＳＣＤＭＡ」の標準を打ち立てた。

通信の世界で中国に与えられた〝発言権〟

１９９６年、国際電気通信連合（ＩＴＵ、本部はスイス・ジュネーブ）は世界から３Ｇの移動通信規格を募った。当時はまだ中国には競争力などなかった時代だ。それから２年後の98年６月30日、中国は募集締切日当日に駆け込み申請を行った。このときＩＴＵ標準化局で部長を務めていた趙厚麟氏が助け舟を出し、中国の規格は審査を通過した。

翌99年、ロンドンで「１つの標準か、あるいは複数の標準か」を議論するための会議が開かれた。その席上で、中国郵電部の曹淑敏氏による「３Ｇは３つの標準で行くべきである。１つに限れば技術上の困難が克服できない可能性がある。しかし、複数の標準を持つことで、次世代の４Ｇ（第４世代）に繋げることができよう」との意見が採択され、３Ｇは米国のＣ

DMA、欧州のWCDMA、中国のTD−SCDMAの規格が採用されることとなった。
2000年5月、ついに中国が開発した「TD−SCDMA」が国際標準の1つとなった。これが意味するものは、通信の世界において、中国にも発言権が与えられたということだ。項氏はこう振り返る。

「こうでもしなければ、中国は何の発言権もないままに、欧米の製品や設備を買い続けなければならなかった」

しかし、道のりは決して平坦ではなかった。果たして中国でそれを産業化できるのか、という分厚い壁が立ちはだかったのだ。中国人でさえ中国の自主規格とその産業化について「そんな高度な能力があるのか?」と懐疑的だった。「そんなことに国家予算を投じても無駄ではないのか」といった批判も少なくなかった。
仮に、中国が独自の知的財産権を持つ3Gの携帯電話規格を持ったところで、アップル製品がTD−SCDMAを採用するわけなどない。信息産業部が中国駐在の外資企業にレターを送り、中国の巨大な市場性を説いて回るなどの働きかけをした一幕もあった模様だが、外資メーカーがTD−SCDMAを採用しないとなれば、携帯端末そのものも中国自らが製造するほかなかった。中国は、当時の工業レベルでは到底困難というチャレンジに駒を進めたのである。

「ファーウェイのスマホは3カ月で壊れる」などと中国人すら振り向かなかったが、中国産スマートフォンは2014年を分岐点に大きく変わった。

同年9月に発売した世界で最も薄いといわれたファーウェイの「Mate7」は、当初の販売目標を30万台と控えめに見積もっていたが、その後の14カ月で700万台も売れた。ローエンドのものを作り続けるか、あるいはブランド化を目指すかの狭間にいた同社だったが、この想定外の販売結果に自信を持ち、一気にハイスペック化の道を駆け上った。

中国が独自の知的財産権を持たなかった1G（第1世代）では2500億元（約3・75兆円）、2Gでは5000億元（約7・5兆円）という高額なロイヤリティを海外メーカーに支払ってきたといわれている。その中国がついに巻き返しに出たのだ。

3GでTDDの技術を商用化したのは、世界でチャイナモバイル（中国移動通信）のみだったが、その後、4GにおいてTDの技術が広く使われるようになった。

通信は国の主権、殺生与奪は中国が握る？

目下のところ5Gについてははっきりとした中核技術はないといわれているが、「5Gで世界標準を主導するのはTDDであり、TDDを深く理解しているのは中国と中国移動通信だ」と項氏は豪語する。今やその中国を、米国は恐れている。

「中国」と「5G」が結び付くと、世の中とんでもないことが起こる――。中国のデジタル覇権に漠然とした恐怖を抱いているが、具体的にどんなことが起こるのかというと筆者の中ではおぼろげな認識しかなかった。そんな中、2020年2月に、CSIS（戦略国際問題研究所）主催のカンファレンスで米国司法部長のウィリアム・バー氏が中国と5Gの脅威を訴えたが、確かにそれは「なるほど」と膝を叩くものがあった。

通信ネットワークは、通信の領域だけで使われるのではなく、スマート工場、スマート農場、スマート交通、ロボット、自動運転、3Dプリンター、ナノ技術……といったありとあらゆる領域で使われるというが、「現実の工業世界」と「まだ実現していない未来の技術」の真ん中をつなぐセンター的役割が5Gだと言う。言い換えれば、「5Gは工業システムの中の中枢神経に当たる」とバー氏は言う。

2025年には23兆米ドル（約2530兆円）の市場に膨れ上がるといわれる5Gネットワークだが、バー氏は「19世紀以来、全世界の技術領域をリードしてきた米国は、中国の技術攻勢を受け、空前の試練に立たされている」と警戒する。

一方で、中国の政治評論家は「ファーウェイはこれほどの制裁を受けながらも発展を続けている」とし、そのアドバンテージをこう表現する。

「これからのファーウェイは、設備と設備の間の接続をパチンと断ち切るだけでいいのだ」

技術的に遮断することで、通信設備はおろか、それとつながるあらゆる工業領域が作動しなくなる。これは、未来の工業領域の殺生与奪権はファーウェイが握っているということを仄めかす言葉でもある。

日本の某通信キャリアのOBは30年ほど前の入社時代を振り返り、こう語る。

「新入社員研修で習ったのは、通信はその国の主権だということです。国を乗っ取るなら通信を乗っとるのが手っ取り早いと教わりました」

ファーウェイが市場を取ればユーザーの負担は減る

1987年に創立したファーウェイが、30余年の歴史の中で瞬く間に世界企業に成長した背景には、西側のやり方を徹底的に吸収したというプロセスが存在した。CEOである任正非氏は、1988年にIBMに白羽の矢を立て、技術開発や管理プロセスを学ぶため、同社の優れた専門家たちをファーウェイに常駐させた。

米国から学んだものは技術や管理だけではなかった。ファーウェイ・ジャパン広報は、「海外に出たときに、ファーウェイは西側の文化、法律、ルールを知り、そこで飛躍的に成長した」と語っている。しかしそのファーウェイは、米中対立が先鋭化する中で、米国政府やマスコミに「バックドアがある」といわれ続けてきた。これに対し同社広報は「いまだ証拠が見つかっていない」とし、「もし、こうした証拠が見つかれば、当社はただちに170カ国でサービスできなくなる。しかし当社は33年の歴史の中で、一度たりとも顧客に迷惑をかけたことはない」と主張している。

ファーウェイは通信ネットワーク、IT、スマート端末、およびクラウドなどのサービスを、欧州や南米、アジア太平洋、中東、アフリカなど170カ国を超える国々で提供しているが、その国やエリアの3分の1の市場をとれば、ユーザーが負担する金額は半分以下に減るという。

ファーウェイの本拠地である深圳市には、フォックスコンがiPhoneのアッセンブルを行っている。一説によれば、スマホ1台の原価は180ドルだが、NYでの販売金額は500ドルで、アップルには320ドルが入るしくみになっているという。その一方で、工場がもらえるのは1台につき6ドル、組み立てを行う従業員には1ドルしか払われていないとまでいわれている。これが本当だとすれば、中国、そしてファーウェイの挑戦には、これまで中国を含む知財を持たない国々が、長年にわたって高い使用料を払わされ続けてきたことに対する逆襲があるのだといえる。

主導権争いは国民の食い扶持をも左右する

かつてドイツ企業で働いた経験を持つ上海在住の黄さん（仮名、50代）の話は興味深いものがある。

「中国の技術の進歩を阻止することは、米国のみならず、今では西側先進国の共通認識です。それは中国の技術進歩が、欧米の市民生活に多大な影響をもたらすからです」

上海のドイツ企業の子会社に在籍していた当時、彼女は「格差」を目の当たりにした。「ドイツの本社から派遣されたドイツ人の1日の出張手当は今でいう500ユーロ（約62000円）ほどだったが、中国人エンジニアの手当は200元（当時のレートで約6000円）程度だった」と言う。同じ仕事でも中国人と欧米人ではもらう手当が一桁違う。

この賃金格差の理由について、黄さんはこう認識している。

「これは西側が、約200年をかけて中国に築いた既得権益です。先進国の国民は収入が高く、福祉が充実し、家族と楽しいバカンスを過ごせる理由は、この歴史の中で、技術で世界を支配したからにほかなりません」

筆者は、ドイツで生活をしている友人の話を思い出した。彼女がしきりに訴えていたのは、「ドイツの一般市民は、そんなにガツガツと働かなくても、そこそこ豊かな生活をしている」というものだった。

規定の時間が来ると残業もせずに帰宅する、平時の仕事ぶりは全体的に非効率な部分が多く、質の高いサービス提供を目指しているとは感じられない。けれども、彼らは日本円にして月収50万円程度を普通にもらっている、逆に日本人はGDPで世界第3位なのに国民生活は豊かとはいえず、とても不思議でならない——それが彼女の率直な感想だった。

ゲームのルールは既得権益者が握るという法則があるとすれば、中国の台頭によって西側諸国の独占的な地位は、今まさに脅かされようとしている。米国そして西側が本気で中国を潰そうとしている背景には、まさに死活を賭けた「食い扶持」の争奪がある。

上海市南京東路のファーウェイショップ

6-4　割れる米中2つの市場でユーザーは翻弄される

中国資本がどんどん進出する日本

「日本は中国の大きな傘の下で商売をする時代になった」――激動の日中ビジネスに生涯を投じてきた元商社マンのF氏の言葉を筆者が実感したのは２０１８年秋だった。

同年10月、安倍首相は北京を訪問し、7年ぶりとなる日中首脳会談が実現した。これによって日中関係は「競争から協調」へと流れが変わった。２０１２年の日本政府による尖閣諸島国有化をきっかけに悪化した日中関係だったが、ここで日中が急接近するという大きな転換点を迎え、再び日中ビジネスが加速を始めたのである。

日本でも中国企業との間に多くのビジネスが生まれた。次世代電気自動車（ＥＶ）の急速充電プラグの規格開発もその1つだろう。同年8月、日本のチャデモ協会と中国電力企業連合会は、中国からの提案を受け、超高出力の充電規格を共同開発することで合意したのである。

次世代ＥＶの急速充電プラグは、日本のチャデモ方式、欧米のコンボ方式、中国のＧＢ／Ｔ方式が熾烈な国際競争を展開していたが、日本は欧米とではなく、中国とタッグを組む道を選んだ。そこには、石油資源の依存を回避する中国が国策で電気自動車に力を入れ、２０２５年には年間３０００万台（ガソリン車含む）に拡大させるという自動車市場への期待がある。元トヨタ物流管理部部長で、ものつくり大学名誉教授の田中正知氏は、「日本の自動車業界がＥＶで〝悲願の世界標準〟に食い込むには、中国との共同開発は避けて通れないと判断したのです」と語る。

これだけではない。今や日本の至る所で中国のビジネス進出を目の当たりにする機会が増えた。

２０２０年1月、渋谷センター街は中国資本のゲームアプリ「モバイル・レジェンド」のＢＧＭが流れ、広告フラッグで彩られた。このプロモーションでは、期間限定でタピオカジュースを無料配布という大盤振る舞いもやってのけ、若い人たちの話題をさらった。当然、これには広告代理店やオンラインメディア、その他日本企業が複数絡んだ。

タクシーアプリでは中国資本の「滴滴（ＤｉＤｉ）」が日本に参入した。一部の日本のタクシー会社は、勢いのある中国企業と提携すれば、新たなビジネスチャンスを取り込めるのではないかと期待した。東京では２０１９年から、車体にＤｉＤｉのアプリ広告がラッピングされたタクシーが疾走している。

アパレルの世界でも、中国ブランドが日本市場に食指を動かしている。中国のメンズファストファッションの巨頭といわれるＨＬＡ（海瀾之家）は、２０１９年４月、イオンモールむさし村山店（東京都）に、日本第1号店をオープンした。全国展開する巨大モールと中国アパレル最大手メーカーの間に新たなパートナーシップがもたらされ、売り場に立つ販売員の雇用を創出し、消費者には新たな選択肢を提供することとなった。

そんな日中企業間の「ウィンウィン物語」があちこちで生まれていた。しかし、中国ビジネスといえば常に政治に左右されるのがその運命だ。日本でもファーウェイのスマートフォンの販売が失速したが、これにも米中間の政治の不安定さが影を落とした。

売り場から消えたファーウェイ新機種

2020年6月、ファーウェイの5G搭載のスマートフォン新製品「P40」シリーズが日本でも発売された。米国の制裁により「グーグルのソフトが搭載できない」という〝曰く付き〟のあの製品である。

ファーウェイのハイエンドのスマホが日本市場で大きな注目を集めたのは「P20」を発売した2018年だったが、日本人のユーザーの間でも「サクサク使えて悪くない」と、評判は悪くはなかった。中国産のスマホといえば、ローエンドモデルばかりかと思いきや、これまでの固定観念を覆すようなハイスペックモデルに、日本のユーザーも関心を向けた。

高成長をひた走るファーウェイのスマホ、筆者個人の買い替え需要もあったので、早速売り場を訪ねてみた。ところが、地元の複数のスマホショップでも、都心の量販店でも６月発売の「Ｐ40」の取り扱いがない。店頭に陳列されていたのは２０１９年３月に発売された「Ｐ30」のみで、訪問したショップのほとんどの販売員が「Ｐ40」の情報を持ち合わせていなかった。

日本では、スマホの新製品を発売する場合、キャリアとスマホメーカーが開発段階から仕様についてすり合わせを行うのが通例で、これを経なければ販売ができないことになっている。ドコモショップの販売員は「Ｐ40は、なぜかすり合わせがなかった」と言い、ドコモが発行する新機種の総合カタログに「Ｐ40」の掲載がないのはそのためだと説明する。ａｕショップの販売員も「２０２０年モデルをａｕとして扱うという予定はない」と言う。新宿駅周辺の量販店でファーウェイ製品をラインナップしていたのは、ＳＩＭフリー対応のコーナーだけだった。

「Ｐ40 Ｐｒｏ５Ｇ」の魅力は優れたカメラ機能だが、グーグルプレイなどグーグルのソフトが使えないのは致命傷だ。これは米国による制裁があからさまに表れたものだ。

これまで、多くの国がグローバル化に向けて足並みを揃えて取り組んできたが、その「逆回転」が始まっているようだ。経済的に互いにウィンウィンであれば、イデオロギーの違いを乗り越えてパートナーになることができた時代は過去のものになってしまうのか。「経済原理」以上に優先されるのが「政治原理」だとすると、私たちの消費生活も新たな冷戦時代に大きく影響されそうだ。

すでに始まっている米中分離

2019年秋、筆者は上海の南京東路の歩行者天国を訪れた。中国全土からの観光客を集める賑やかな歩行街で目にした光景は、新製品を展示したアップルストアとファーウェイの正規販売店の熾烈な競争だった。消費者はカメラ性能を高めた新製品の品定めに、2大陣営の販売店を行きつ戻りつしていた。

中国では、ファーウェイのユーザーが軒並み増えている。だが、ユーザーが選択に迷うのは、海外に行くとファーウェイのスマホは役に立たない点だ。

日系企業に勤務する中国人女性は、「中国ではファーウェイのスマホを使っていますが、日本に出張した時にはiPhoneを使います」と言う。なぜなら「ファーウェイのスマホではグーグルマップが使えない」ためだ。中国には「百度地図」というグーグルマップに相当する地図アプリがあるが、東京本社ではグーグルマップをもとに作業を進めていくので、ファーウェイのスマホだと仕事にならないのだ。

逆に、外国から中国に来て長期滞在する場合も、やはりボトルネックになるのが通信をめぐる環境だ。

在米華人の鄭さん（仮名、20代）は、中国の某有名企業のインターンシップのために、中国に長期滞在することになった。中国には親戚もいて以前から往来があったものの、「中国での生活をスタートさせるに当たって最も抵抗を感じたのは、ネット環境でした」と語る。中国ではインターネットの利用制限が厳しく、フェイスブックやメッセンジャーなど米国のＳＮＳサービスが使用できない。

「最初はフェイスブックやグーグルが使えない環境が信じられませんでした。やむを得ず、有償のＶＰＮサーバーを使いましたが、僕自身がエンジニアなので、これを使っての作業がとても煩わしく思うようになりました。結局中国では、メッセンジャーがなくても『微信』（ウィーチャット）で友達とつながることができ、フェイスブックがなくても友達が発信する情報がキャッチできるんです。周囲の友人たちもフェイスブックは使っていなかったので、『微信が使えるなら、まあいいか』と、中国のアプリを使うようになりました」

鄭さんの話からは、〝米中２つの標準〟に翻弄され、最後には〝中国標準〟で妥協する、そんな心境の変化が読み取れる。

上海で十数年もの長期にわたって駐在してきた総経理職の如月剛さん（仮名、50代）は、冗談混じりにこう語る。

「パソコンもいずれ、米中に2つのOSが存在することになるかもしれない。そうすると、私たちのように日中を往復する駐在員は二刀流でこれを使いこなす必要が出てきますね」

ファーウェイの2020年版モデル「P40 Pro 5G」には、独自に開発したOSが搭載されている。早晩、パソコンでも中国独自のOSが登場しても不思議ではない。

中国では改革開放後、技術用語を中心に新しい言葉が無数に生まれた。90年代に普及を始めたパソコンは「電脳（ディエンナオ）」、2000年代に発達したインターネットは「互聯網（フーリエンワン）」と、ほとんどすべてが漢字に置き換えられた。もとより中国には漢字しかないので、咖啡（コーヒー）や咖喱（カレー）などのように音で意味を表記することもあるが、中国は外来の文化を自国の文化に融合させて、新たな中国語表記を作ることの方が圧倒的に多い。

ちなみにモバイルは「手に持つ機械」だから「手机（「机」は「機」の簡体字）」、これに銀行をくっつけた「手机銀行」はモバイルバンキングという意味になる。漢字への置き換えもまた、西側に決して与しない中国の強いプライドの表れなのだろう。

ソ連の崩壊後、アメリカが唯一の超大国となって30年近くが過ぎようとする今、再び「1つの地球上で二極化する世界システム」の時代が幕開けした。コロナ禍を経て、貿易、外交、軍事、ビジネスと米中関係はこじれにこじれ、今や真っ二つに割れるような勢いだ。

ポストコロナは新冷戦の始まりだ。混迷する米国と台頭する中国による「新・冷戦時代」のはざまで、私たち日本人はますます翻弄させられるに違いない。

日本でも伸び悩むファーウェイのスマートフォン

上海市南京東路のアップルストア。
ファーウェイ製品と比較し品定めをする客たち

第7章　アジアで起きる地殻変動

7-1　人も資金も流出が止まらない香港

年々強まった香港の「変質」

世界に冠たる金融都市・香港には、多くの日本の金融業関係者が駐在していた。日本興業銀行（現みずほ銀行）出身の海保欣司氏は香港中文大学に留学し、その後1988～1995年にかけての8年間、興銀香港支店に勤務した。海保氏はこの豊富な香港経験をベースに2003年に独立起業し、現在、シンガポールの総合金融企業であるフィリップキャピタルのグループ会社として、不動産のアセットマネジメントを手掛けている。

海保氏の香港駐在時期は、ちょうど1997年の返還直前に当たる。当時の香港は返還前夜の期待と活気があり、多くの香港資本が大陸投資で稼ぎまくるなど、経済的にも潤っていた時代だった。しかし、機を見るに敏な一部の香港人はその頃すでに「脱出準備」を始めていたという。海保氏は、多くの香港人の友人がカナダやオーストラリアに移民していくのを見つめていた。

１９９７年の返還当時、同年2月に死去した中国の最高指導者・鄧小平氏は、「返還後50年は高度な自治を維持する」とし、経済制度や生活様式は不変だと宣言していたが、時とともに変化が現れるようになった。海保氏が「香港社会が変質を始めている」と強く感じたのは、２０１３〜２０１４年にかけての頃だった。

「中国系、香港系と仕事するのに、やりにくさを感じるようになりました。本来なら企業のトップが決断すべきことも、背後にいる国営企業の意思決定が大きく作用するようになったのです」

日本人ビジネスマンでさえ敏感に感じ取る〝やりにくさ〟を、香港市民ならばそれ以上に強く感じ取っていたに違いない。香港人の海外逃避は１９９７年前後にひとつのピークを形成したが、その後も香港で進む変化を敏感に嗅ぎ取った香港人たちは、静かにここを離れていった。そして次のピークが訪れた。いうまでもなく、２０１９年の大規模な抗議活動である。

再びピークを迎える海外逃避

香港のハリウッドロードは、カフェやバー、レストラン、雑貨店などが集まり、古き良き香港のたたずまいを残す魅力的な街並みで知られ、内外から多くの訪問客を集めてきた。しかしコロナ蔓延前の２０２０年1月、1年半ぶりに訪れた筆者が見たのは、空き店舗だらけの光景だった。

シャッターが下りたままの店舗には、「借り主募集」という意味の「For Lease」「出租」などと書かれた張り紙が貼られていた。もぬけの殻となった店舗は、世界の金融機関や一流外資を集める香港島だけでも無数にあった。これも人や資金の撤退を物語る一事例だ。

店舗が営業をやめたとわかると、そのシャッターや外壁には瞬く間に広告物がベタベタと貼られていく。不動産、飲食、物販とチラシの種類はさまざまで、空き店舗はさながら〝広告掲示板〟として代用されていた。スプレーによるいたずら書きもあり、暗い雰囲気を漂わせていた。

いわずもがな、店舗も住宅も「市場での取引価格」が相場を決めるが、それには周辺環境も加味される。明るく、歩きやすく、住みやすく――魅力ある街には多くの人が集まり、その人気（つまり、価値）が取引価格を押し上げていく。その反対に、訪問者や住人を失い活気を失う街は、景観や治安を損ね、当然のことながら価格の下落につながっていく。

いずれ新たなプレーヤーが登場し、空き店舗を埋めていくというサイクルが描かれると願いたいが、コロナ禍とあっては復興のための時間もかかるだろうし、ましてや「香港国家安全維持法」の施行という中国政府の介入後は、プレーヤーたちのマインドも冷え込む可能性がある。

湾仔の路上では、日本への移民を促す広告物が複数掲示されていた。移民手続き代行の立て看板には、「移民就去最愛的地方（移民するなら最も愛する場所に行こう）」と書かれているのが印象的だった。香港の将来を危惧して闘った若者は、デモ活動の制圧・失速とともに、地元ですっかり居場所を失っている。両親の勘当で家に戻れないデモ参加者が路上に蹲るという姿も目撃されている。

台湾に逃避する香港人も少なくない。台湾の移民署が発表した統計によると、２０１９年に台湾で居留許可を得た香港人は５８５８人に達し、前年の４１４８人から大幅に増加した。２０２０年に入ってからは毎月６００人を超えるペースで移民許可が発行されている。

香港からは資金も流出し、その一部がシンガポールに向かっている。シンガポール金融庁は、「２０２０年４月の非居住者の預金残高は前年同月比で44％増の６２１億シンガポールドル（約４・８兆円）に急増、過去最高に達した」と発表した。シンガポールに居住する前出の海保氏は「香港、中国、ヨーロッパからのマネーの流入が顕著です」と言う。

興味深いのは「米国が中国投資を引き上げ、シンガポールに移転させている」（同）という動きもある点だ。欧州では、英国のブレグジット（ＥＵ離脱）がシンガポールへの資金の移転を加速させている。もとより、シンガポールは低税率国として位置づけられている。タックスヘイブンではないことから、マネーの行き所として最高の魅力を備えているとはいえないものの、さまざまな国と租税条約を締結しているため、それを利用すればメリットが取れるといった優位性がある。

こうしたことを背景に、シンガポール政府は目下、世界中から流れてくる資金の受け皿となるための積極的な政策を打ち出している。その１つが、資産運用業界に導入した変動資本会社（Variable Capital Company、ＶＣＣ）制度である。

この制度は、「株式に投資するＶＣＣ」や「不動産に投資するＶＣＣ」など、ジャンルを分散できる点に妙味があり、設立資金として15万シンガポールドル（約１１６０万円）を上限に政府が補助金を出すという。シンガポールにとっては運用の管理手数料が落ち、弁護士、会計士、税理士などの雇用が増えるというメリットがある。海保氏は「この制度の背景には、10年で８倍に伸びた管理資産をさらに10倍に伸ばしたいというシンガポール政府の野望があります」と語っている。

マカオが香港に取って代わる日

中国政府が香港に対して示しているのは、「去る者は追わず」といった態度なのか、香港から人や資本が流失しても、まったく意に介していないように見える。それは、香港の代替地構想が進んでいるからだともいえる。

「次なる香港の代替地はどこか」――。近年、これをめぐるさまざまな憶測が飛び交っているが、２０１９年10月、「中国證券報」が「中国政府はマカオ証券取引所の開設について研究を開始した」と報じると、これを契機に〝マカオ代替論〟が注目されるようになった。

筆者はマカオに長く滞在する日本人実業家との面会から、マカオの国際金融センター計画が着々と進んでいることを知った。

「香港の機能はマカオに移されるでしょう。証券取引所は必ず作られる計画です。マカオを世界の金融街にする構想は進んでおり、今年（２０２０年）から垂直立ち上げを行うはずです」

すでに中国が進める粤港澳大湾区発展計画（以下、ビッグベイエリア構想）にもマカオ証券取引所の計画が打ち出されており、中国メディアも「〝マカオ版ナスダック〟に中国のハイテク企業を上場させる」といった可能性を報じている。

一方で、マカオに関することになると、香港人の態度は冷淡になる。貿易業を営む友人の香港人は「マカオが香港の代わり？　笑ってしまう。あんな小さい土地に50万人程度の人口しかなく、車も通行できないほど狭い土地で、証券取引所など築けるわけがない」と一蹴していた。

香港人の高いプライドは理解できる。狭いといわれる香港でさえ、札幌市に匹敵する1100平方キロメートルの土地があるが、マカオは30平方キロにも満たない面積だ。

しかも、「香港は一日にしてならず」である。ジャーディンマセソン、HSBC、タイクーなど世界から集まった財閥や金融機関が、英国による長年の統治の下で今ある香港を築いた。その歴史と経験の蓄積からすれば、香港の地位は不動のものだといえる。

その一方で、「マカオ企業が一流の会計士を入れ始め、上場を目指して動き始めている」といった話を耳にすると、ウイルス蔓延の直前までこの金融センター構想が着々と準備を進めていたことが伺えるのである。

中国とドッキングさせて金融センターを作る

それにしても、カジノが密集するマカオに金融機能を受け入れるキャパシティなどあるのだろうか。前出のマカオの日本人実業家に訊ねると、次のように返ってきた。

「そんなことは心配ありません。すでに、隣接する珠海市の横琴（ハンチン）新区には金融エリアがあり、これをマカオにドッキングさせれば『マカオの金融センター』が完成するという段取りなのです」

横琴新区とのドッキングは確かに進んでいる。中国政府は横琴新区の一部区域を「マカオに貸与」することを決定し、2020年3月18日には、総面積にして6万6428平米の横琴イミグレーションのマカオ側のエリアを含む区域が、マカオ特別行政区の法律適用範囲となった。

マカオは、大陸―マカオ―香港を一体化させるビッグベイエリア構想に積極的だ。マカオ特別行政区は『2020年財政年度施政報告』を発表したが、218ページにわたる分厚いこの報告書には「横琴はマカオの不足を補うもの」という表現が出てくる。近年カジノで潤ったものの、土地が狭く人口も少ないうえに単一な経済構造では、都市の発展にもいずれ限界が来る。ましてや、新型コロナの影響で観光客とカジノ客を失っており、経済構造の多元化は焦眉の急だ。この表現からは、「一国二制度を利用して隣接する中国にうまく溶け込まなければ先がない」という、背に腹は代えられないマカオの窮状が見て取れる。

また、報告書からは、「マカオの将来はマカオが決めるのではなく、中国が引いた大湾区構想という青図のもとに進められている」という実情が見て取れる。前出の香港人は「マカオは中国のいいなりだ」と嘆いていたが、実際に〝従順なマカオ〟と中国の一体化は現実のものとなっている。

　中国の深謀遠慮は、私たちの想像をはるかに超える。中国政府のゴールは、マカオに証券取引所を設立することではなく、マカオをベースにした「ポルトガル語圏の一帯一路」にある。新華社の報道によれば、中国は、アンゴラ・ブラジル・カーボベルデ・ギニアビサウ・モザンビーク・ポルトガル・サントメプリンシペ・東ティモールの8カ国とすでに協力関係を築いており、こうしたポルトガル語国家を対象にした人民元決済や融資・リース・金取引など、金融サービスのプラットフォームをマカオに立ち上げた。

　大英帝国が築いた香港金融市場の発展は、中国が築いた大湾区構想にいずれ取って代わるのか。しかし、自由な市場環境と公正で独立した司法制度、あるいは金融インフラや専門人材が伴わなければ、国際金融センターにはなり得ない。海南島に国際金融センターを創設するといった計画もあるが、「外資は寄り付かない」という見方が強い。

移民手続きをする代理店の広告。
「移民するなら最愛の場所へ行こう」とある

7-2 米中対立の先鋭化を嫌うシンガポール

シンガポールは「米中利害の交差点」

米中対立の先鋭化が国の存続を脅かす――。これを切実な問題として危惧しているのがシンガポールだ。2020年下半期、動画やネット記事でリー・シェンロン総理の「米中関係の安定こそがアジアの長期繁栄をもたらす」という呼びかけをたびたび目にした。「東西文化の十字路」とも譬えられるが、逆にいえば「利害の交差点」でもある。そんなシンガポールは、今、米国と中国の板挟みで苦しんでいる。

シンガポールの国土面積は約720平方キロメートルと東京23区程度に過ぎないが、中華系（74％）、マレー系（14％）、インド系（9％）が居住する人口約564万人の多民族国家だ。1人当たり名目GDPは6万3798米ドル（2018年）で世界8位と、日本（26位）以上に富裕な国である。

シンガポールを富裕にした要因のひとつは、アジアの物流のハブを担ってきたことにある。日本貿易振興機構（JETRO）によれば、シンガポールの名目GDPの産業別内訳（2019年）の66・8％はサービス業であり、うち輸送・保管は9・5％を占める。シンガポールの年間取扱貨物は1位の座こそ上海に明け渡したが、世界の主要コンテナ港として2位の座を10年にわたり維持している。物流の中心地には金融センターができ、商業が栄え、高度人材が集まりと、シンガポールの経済はそんな好循環を描いてきた。「シンガポールはマラッカ海峡が潤した」といわれるのはそのためでもある。

中国はマラッカ海峡のリスクを取り除きたい

世界で最も船舶航行が多いマラッカ海峡は全長約970キロ、幅約65～70キロの細長い海峡だ。水深が浅いため大型船舶が航行できる幅がわずか数キロという箇所もある。太平洋側の南シナ海とインド洋側のアンダマン海を最短で結ぶこの航路は、交通の要衝であり、通過する主要な貨物は石油や石油製品だ。

中国の白書（「中国油気産業発展分析与発展報告藍皮書2019―2020」）によれば、現在、年間5億トンを超える石油を輸入し、その対外依存度は70％を超えるという。また、中国石油天然気集団によれば、輸入する石油のうちの80％以上がマラッカ海峡を通過するという。「一帯一路」構想で、中国がエネルギー輸送のための「海上のシルクロード」を盤石にするためのさまざまな戦略(例えば、中国とミャンマーを結ぶ天然ガスパイプラインの運営など)を打ち出しているのは、政治的不確実性がますます高まるマラッカ海峡における潜在リスクを排除するためである。

中国は「中国の命運を握っているのはシンガポールと米国であり、『民族復興の夢』のためには、マラッカ海峡におけるリスクを取り除く必要がある」という認識を強く持っている。そのためには、マラッカ海峡の周辺国家との協力強化を図るというのが中国の戦術だ。マラッカ海峡はシンガポール、マレーシア、インドネシアが共同管理を行っているが、中国はマレーシアとの協力を最優先事項に置き、リスクを回避する構えだ。

中国はすでにマレーシアとの2カ国において、港湾、工業団地、鉄道建設で協力体制を構築した。2016年、マラッカ海峡最大の貿易港「マラッカ・ゲートウェイ」の港湾共同建設について、中国はマレーシア（ナジブ政権）と覚書を取り交わしたが、2018年に中国とは一線を画すマハティール氏（当時92歳）が15年ぶりに首相に就任し政権交代を果たすや、このプロジェクトは中断された。ちなみに、ナジブ首相は過度な親中ともいわれ、中国から資金援助を受け、中国主導の公共事業を積極的に進めていた。

しかし、2020年2月、マハティール政権はわずか1年9カ月の短命で終焉してしまう。親中派ともいわれるムヒディン内務大臣が新首相に就任すると、コスト削減を行うことで再びプロジェクトは進められることになった。

このようにプロジェクトは紆余曲折をたどっているが、いずれにしても、中国とマレーシアが結託しこの構想を進めれば、シンガポールは確実に不利な状況に追い込まれる。「マラッカ・ゲートウェイ」について、マレーシア在住の日本人は「ムヒディン新政権になってもその後の進展は聞かないし、世論も許さないだろう」と言うが、長期戦略に長けた中国に油断はできない。

中国メディアは「マラッカ・ゲートウェイが完成すれば、ひとつの平凡な国になってしまうかもしれない」という表現を使い、シンガポールの優位性が沈む可能性を指摘している。

小国であるゆえにその命運は大国に握られる

シンガポールと中国の二国間関係は極めて微妙だ。

中国とシンガポールの外交関係だが、国交は１９９０年とごく近年になってから樹立した。これはシンガポールが国内の共産化を恐れ、中国と距離を置いてきたためでもある。しかし、ひとたび外交関係が強化されると、シンガポールは中国の国づくりを積極的に支援してきた。初代首相の故リー・クアンユー氏が「中国が強大になれば米中の力関係はバランスがとれ、シンガポールにとって安全である」と読んだためでもあった。

90年代、シンガポールは中国政府職員の主要な海外研修拠点となった。多くの中国のエリートたちがシンガポールを手本に、都市計画、社会統治、公共管理のモデルを吸収した。また、江蘇省にある蘇州工業園区も中国とシンガポールによる共同開発によるプロジェクトだが、まさにこれらは両国の蜜月ぶりを象徴するものとなった。

一方、シンガポールは、中国と国交を樹立した1990年に、米国との間でシンガポールの空軍基地と桟橋の利用について覚書を締結している。さらに29年後の2019年9月には、リーシェンロン首相とトランプ大統領の間でこれを更新し、米軍がシンガポールの海軍・空軍基地を今後15年間利用できることを盛り込んだ覚書を締結した。シンガポールは米国から武器を購入し、アメリカ海軍の基地使用を認め、艦隊を寄港させるなど、米国の安全保障の大きな傘の下にある。

華人が7割以上を占める国家であるにもかかわらず、決して親中でないのがシンガポールである。故リー・クアンユー元首相のバランス感覚が今日の発展を導いたといってもいいだろう。これまでシンガポールを成長させたのは、間違いなくその開かれたグローバリゼーションだった。

だが、昨今の米中対立において、シンガポールの本質的な弱点が浮き彫りになりつつある。小国であるゆえに命運を大国に握られてしまっているのだ。シンガポールが今置かれている状況は、大海に浮かぶ木の葉だと譬えることができるかもしれない。リーシェンロン首相は2020年8月、米「フォーリンアフェアーズ」誌に「揺らぎ始めたアジアの世紀」と題した論文を寄稿したが、そこにはその危機感がありありと映し出されていた。

米国か中国かの選択はできない

　論文にもあるように、東南アジアの安全保障に貢献してきたのは米国第七艦隊であり、この米国が確保した、開かれて自由な環境でシンガポールの経済は発展した。だが、中国が引く「九段線」の〝舌の先〟は限りなく南の方角に長く伸びるかのように、シンガポールの安全保障にも大きな変化をもたらしつつある。

　さかのぼること２０１４年５月、上海ＣＩＣＡサミット（アジア相互協力信頼醸成措置会議）の席上で習近平国家主席は「アジアの安全保障はアジア人に任せるべきだ」と提起した。このとき中国は「中国によるアジアの新たな安全保障観」を打ち出したのである。これを「将来の安全保障の枠組みから米国を排除することを目的としたモンロー主義のアジア版」だと解釈する中国人の学者もいるように、まさにリーシェンロン首相の危機感はここに向けられている。

　もとより、シンガポールには米国の多国籍企業が多く、これら企業はグローバルサプライチェーンを築き、アジアと世界をつなげ、シンガポールに多くの雇用をもたらしている。またアセアン諸国には中国と紛争を抱える国もあり、米国による安全保障はアジア太平洋にとって欠かすことはできない。その一方で、東南アジア諸国の最大の貿易相手国は中国であり、中国を中心としたサプライチェーンを無視することができなくなっている。アセアン域内のインフラ改善需要に応える「一帯一路」にも、決して背を向けることができない状況だ。

シンガポールにとってもアセアン諸国にとっても、米国か中国かどちらかの選択はできない――それが同首相の主張である。

だが、中国の電子メディアを中心とした論調には「シンガポールは、南シナ海における中国を抑え込もうとする米国の忠実な駒」だとするものや「『一帯一路』は米国とシンガポールを排除するものだ」といった冷ややかな態度が目に付く。

米中の対立が先鋭化する中で、これまで有利に働いたシンガポールの地政学的立ち位置が揺らいでいる。華人国家のシンガポールはかつてない試練に立たされているのだ。

シンガポールは中国人の修学旅行先にもなっている

7-3　ポストコロナとサプライチェーンの再編

欧米で国内回帰はトレンド

コロナ禍でサプライチェーンの地殻変動が加速した。「中国から企業を引き戻す」――コロナが蔓延する2020年3月、トランプ政権はこう宣言した。米国はコロナの蔓延で深刻な医療物資不足を経験した。マスクや防護服のみならず、米国の90％以上の抗生物質、ビタミンC、イブプロフェンを生産している中国に対し、トランプ氏は「我々は外国に依存して生存していくわけにはいかない」と、中国のサプライチェーンから米国の製造業を切り離すことの必要性を訴えた。

製造業の中国からの切り離し、すなわち生産拠点の国内回帰は今に始まったことではなく、近年のトレンドとなっていた。米国には「リショアリング・イニシアティブ」と称する民間の経済団体があり、2010年から国内回帰に向けた活動を行っている。

ＥＵでもＥＰＲＳ（欧州議会のシンクタンク）や欧州連合の専門機関であるEurofound（欧州生活労働条件改善団体）などがこの議論を推し進めてきた。「中国からの製品、研究開発、サービスのバリューチェーンをＥＵに戻す」とし、これにより、英・仏・独・伊を中心に優れた製造立地として回復させようとしている。近年、世界の政治・経済が変化する中で、EUでは、単に「安価な人件費」ではなくトータルコストの意識が生まれ、「顧客に近いところで生産を進めるのがいい」という機運が醸成されるようになっていた。

2018～19年にかけて米中は激しい貿易戦争を繰り広げた。米コンサルティングファームのATカーニーによれば、2019年は中国を含むアジア14の国と地域の低コスト生産国（中国、台湾、マレーシア、インドネシア、インド、タイ、ベトナム、パキスタン、スリランカ、カンボジア、香港、シンガポール、バングラデシュ、フィリピン）からの対米輸入額は7570億ドル（約82・5兆円）となり、前年の8160億ドル（約88・9兆円）から7・2%、金額にして590億ドル（約6・4兆円）が減少した。中でも中国からの総輸入額は900億ドル（約9・8兆円）が減少した。

2019年は、米国の通商政策により多くの米国企業が中国からの輸入を減らそうと並々ならぬ企業努力を強いられたが、その一方で、2020年7～9月の中国の対米貿易黒字は974億ドル（約10・2兆円）と、マスクや防護服など医療用品が牽引し、四半期ベースで過去最高となった。

サプライチェーンの移転はそう簡単なことではないにもかかわらず、米国は脱中国の手を緩めそうもない。中国の米国研究者のひとりは、米国の戦略について、「核心技術を含む製造は、コスト度外視で米国に戻す。その次に重要な技術を含む製品は、中国ではなく盟友国での製造にシフトさせる。労働集約型は東南アジア、南アジアに移転させる」と分析している。米国の狙いは、「世界の製造業の中心に位置する中国を引きずり下ろし、その力を弱めることだ」ともいわれている。この研究者は「米国が進めようとするのは〃盟友貿易〃であり、パートナーはメキシコ、カナダ、英国、日本、韓国だ」とし、中国を排除した経済のブロック化を示唆している。

ビジョンなくして再編は進まない

生産拠点の一極集中を回避するために、日本の経済産業省は「国内投資促進事業」に対する補助金として、２０２０年度で２２００億円の補正予算を確保した。２０２０年春、このニュースは世界を駆け巡り、中国の電子メディアも「日本は本気で中国のサプライチェーンを断ち切ろうとしている」と危機感を持ってこれを報じた。

国内の拠点整備という条件を満たした企業には、1社最大で１５０億円の補助金がつくが、５月22日〜6月5日の先行締切りまでに90件、約９９６億円の応募があり、57件の５７４億円が採択された。蓋を開けてみると、57件のうち医療関連の生産事業は39件、そのうちマスク生産事業についてはわずか13件であることがわかった。

コロナ禍で苦労したのはマスクを含む医療物資の調達だ。今でこそ逼迫したマスク需要は緩和されたが、５月の時点では肝心のマスク業界にこれといった大きな動きはなかったといえる。マスクの製造・販売を手掛ける某社幹部に「国内拠点の確保は焦眉の急ではないのか」と訊ねると「国内回帰に手を挙げる企業は少ないですよ。補助金を出してもらっても、５年後10年後のビジョンが描けませんから」と返ってきた。この企業は以前にも増して、中国との取引を活発化させているという。

経済産業省にも訊ねたが、補正予算については「サプライチェーンのリスク分散や強靭化の選択肢のひとつとして国内投資がある、という認識です」と答えるにとどまった。

コロナ禍で途絶したサプライチェーンに対する緊急対策とはいえ、国家としての将来の方向性が示されていなければ、事業者は国内回帰の是非を判断することも難しい。これまでの「グローバル化」という価値観は揺らぎ始めているし、「むしろ日本で作った方が安い」（ものつくり大学の田中正知名誉教授）という提起もある。にもかかわらず日本では、欧米のような一歩進んだ議論はほとんど聞こえてこない。マスク企業の幹部のコメントはほかでもない、日本の製造業の未来に対する不安を代弁するものだった。

話は40年前にさかのぼるが、１９８０年代、日本では通称「テクノポリス法」が制度化され、全国26の地域が高度技術工業集積地に指定されたことがあった。函館市も指定されたが、工場誘致はさほど進まなかった。地元で観光業に従事する経営者は「当時は『これで工場が地元にやって来る』と期待したが、結局函館に来ることはなく、みな海外に出て行ってしまった」と振り返っていた。日本全国を見渡しても事情は同様で、企業の海外シフトとともに産業の空洞化が起こり、中国依存の体質をますます強めたのが近年の歴史だった。

その後、函館市の産業は衰退の道をたどった。近年はインバウンドにシフトしたものの、地元住民は思ったほどの経済的な潤いを感じてはいない。

空洞化に歯止めをかける台湾の巻き返し

一方で90年代初めに中国に進出した当時のX社の経営陣はこう振り返る。「今思えば、当時は安い労働力にしか目が向かなかった。だが、これがすべての間違いだったのかもしれない」――。この企業は中国進出で次第に資金繰りが悪化し、最後は吸収合併されてしまった。

進出先で成功するには、現地のサプライチェーンを強化しなければならない。中国に進出した日本の某大手家電メーカーY社は下請けZ社に対し、「中国の工場に技術指導をしろ」と迫った。しかし、技術が中国に流出すればZ社の優位性は失われ、一国としての日本の技術の優位性が損なわれてしまう。Z社はしぶしぶとこれに応じたが、こうしたことは、セットメーカーとサプライヤーの間で常識的に繰り返されてきたことでもあった。こうしたところにも、日本の製造業が空洞化した原因を見出すことができる。

台湾もたどった歴史は日本とほぼ同じだ。２０００年以降、多くの台湾企業が中国に拠点を移し、台湾から輸入した電子部品をモバイルやパソコンなどの最終製品にして欧米市場に出荷するというサプライチェーンを構築してきた。しかし反面、高雄市などでは、稼働を停止した工場が続出し、若い台湾人も雇用を求めて大陸を目指すという「空洞化」が進んだ。

その台湾は、日本に先駆けて２０１９年から積極的に大陸に進出した企業を回帰させている。しかも企業へのサポートは補助金だけにとどまらない。

台湾政府は新たな政策の下、大陸から回帰する企業に対し、最初の2年間の工業用地の賃料を無料とするほか、電力や工業用水の供給を安定化させるため設備増強を打ち出した。技術を持つ高度人材や生産ラインに立つ労働者などのスムーズな確保を進めるため、複数にわかれていた窓口もひとつに統一した。資金調達については、台湾政府がイノベーション支援のために設立した「行政院国家発展基金」を母体として低利の融資を行う。また、立地は1カ所に集中させず、台湾全土に分散させ、大陸で予定されていた最新設備の投資を台湾に振り向けさせることで、台湾を〝ハイテク・アイランド〟として成長させることを狙っているのだ。

迅速に動く台湾系企業

深刻化する米中貿易戦争を背景に、２０１９年、台湾政府は「国内回帰」と「南下政策」

の2本立ての政策を打ち出した。国内回帰策といわれる「歓迎台商回台投資行動方案」に基づき、中国で操業している台湾企業を対象にUターン投資を推進した結果、2020年7月2日時点で192社、総額で約7763億台湾ドル（約2・8兆円）の投資が認可された。

その中には世界に冠たる技術を持つ企業もあり、水晶デバイスで世界首位の台湾晶技（TXC）、リニアガイドの生産量で世界屈指の上銀科技（ハイウィン・テクノロジーズ）、半導体のイオン注入装置大手の翔名科技（フィードバックテック）などが着々と準備を進めている。

また、ベトナムやタイでは工業用地の争奪戦が起こるほど、台湾製造業の南下は勢いを増した。タイの首都バンコクでは、台湾経済部（日本の経済産業省に相当）が中心となり、大陸からタイに工場移転を進める企業に法律相談やコンサルティングサービスを提供するなど積極的な取り組みを行っている。

振り返れば2019年、米中対立の深刻化とともに、日本でも中国から国内への生産シフトが議論されたが、台湾のような積極的かつスピーディーな動きは見られなかった。同年夏、筆者は経済産業省の外郭団体である日本立地センターにヒアリングしたが、「拠点を国内に戻す企業は一部であるものの、国内回帰が潮流になるほどでもない」とし、「海外での事業を継続するのが日本の製造業の傾向」という回答だった。

同年10月5日、「日本経済新聞」は、日本企業の中国担当者1000人を対象にしたアンケート結果を公表したが、「現状維持で様子見」が約6割を占めていた。筆者も中国駐在者に訊ねたところ、「弊社の生産活動は中国市場への供給がメイン」という回答や、「米中の政治マターだから、そのうち元の鞘に収まるのではないか」という見方もあった。

新型コロナウイルスの打撃を受ける前までは、インバウンド需要もあり、化粧品メーカーなどを中心に、日本国内での生産拠点を増強する動きも見られた。化粧品は訪日外国人客の間で高まる日本ブランド人気で、前年に品切れが続出したこともあり、国内体制の強化が待たれていた。

その一方で、「海外シフトを強めたことのツケで、工場を増設しても技術者が足りない」という声も聞かれた。化粧品のみならず、日本は製造業の空洞化が長年続いたこともあり、技術者は雲散霧消してしまい、製造現場では労働者の確保も懸念材料となっていたのは周知のとおりである。

経産省が主導する国内投資策のその後の動きだが、続く第2弾（２０２０年7月22日締め切り）は、募集期間が長かったこともあり、応募件数が１６７０件と、第1弾の18倍に伸びた。中には中国に拠点を残している企業もあるので、これが「即時撤退」を意味するものにはならないが、リスク分散に向けて動き出す気配が感じられる。菅義偉首相も、就任後初めての訪問先となるベトナムで、「日本企業のサプライチェーンを東南アジア各国に分散させる」と演説している。

世界の権威が指摘する反グローバリゼーションの動き

２０２０年３月20日発行の米外交専門誌「フォーリン・ポリシー」に、12名の論客が「ポストコロナの世界動向」についてコメントを寄せたが、うち３名の論客が従来のサプライチェーンの継続性について、以下のような悲観的見解を示している。

英国王立国際問題研究所所長のロビン・ニブレット氏は、「新型コロナウイルスは、政府、社会、企業に長期的な経済的孤立を強いるものとなり、21世紀初頭に定義された有益なグローバリゼーションの考えに戻る可能性は非常に低いと思われる」と指摘している。

ピューリッツァー賞を受賞した米国ジャーナリストのローリー・ギャレット氏は「サプライチェーンは消費地に近づき、企業の短期的な利益はカットされるが、システム全体の回復力は高くなる」と論じ、米外交官のリチャード・N・ハース氏は「サプライチェーンの脆弱性から、地産地消に向かうだろう」と主張している。

12人の論客のコメントから感じ取れるのは、つい数年前まで進展を見せた米中ウィンウィンの関係によるグローバル化は陰りを見せ、その逆の動きが始まるという世界の流れの大きな変化だ。中国の有識者からは「世界は今後、米国と中国の２つの陣営に棲み分けされる」といった発言も聞こえてくるようになった。こうした逆流に日本も無縁ではいられない。

周りを見渡せば、日本人の生活を取り巻く商品の大半が「メイド・イン・チャイナ」であ

日本では宅地化が進み工業の生存領域が狭まる
（画像は東京都大田区）

る。生鮮野菜、加工食品、冷凍食品などの食にかかわる商品はもちろん、医療用品、家電製品、小物雑貨に至るまで、日本の生活者に直結するものが多い。

コロナ禍の日本はマスクや医療用品の不足に奔走させられたが、ひとたび非常事態に陥れば、世界の輸出大国であるはずの中国からの供給は忽然と途絶えてしまう怖さを目の当たりにした。コスト削減を目的に日本から出ていったサプライチェーンだが、ここに防疫や国防、ブロック経済のリスク回避が加わる今、日本企業にとって国内回帰や拠点分散化といったリスク回避策は喫緊の課題となっている。

7-4　中国とインド、同床異夢の「アジアの夢」

日・中・韓・豪・新（ニュージーランド）の5カ国とＡＳＥＡＮ10カ国の、計15カ国によって構成される「東アジア地域包括的経済連携（ＲＣＥＰ）」が２０２０年11月15日に署名された。２０１９年時点の数値規模におけるＲＣＥＰは、ＧＤＰが25・8兆ドル、貿易額が5・5兆ドル、人口が22・7億人。世界の約３割を占める最大の自由貿易圏となる。

ＲＣＥＰは、中国が２００５年に提唱した「東アジア自由貿易圏（ＥＡＦＴＡ）」と、日本が２００６年に提唱した「東アジア包括的経済連携（ＣＥＰＥＡ）」に端を発する。２０１１年８月、ＡＳＥＡＮ諸国に対して日中が共同してＲＣＥＰの設立を呼びかけ、翌２０１２年11月に交渉が始まった。今回の署名にこぎつけるまでに、実に８年もの歳月を要した交渉だった。

このＲＣＥＰにおいて中心的な存在となるのは中国であり、交渉の主導権の大部分は中国側に握られていたともいわれている。「中印2カ国だけでもアジアに27億人を超える巨大経済圏が生まれる」と、世界から注目されていた経済連携たったが、ついに「インド離脱」での船出となった。アジアの二大国であるインドにとって、〝中国中心の枠組み〟は心地よいものではなかったという憶測もある。

カギとなったガンジー精神

インドが参加の断念を表明したのは２０１９年11月４日、バンコクで開催されたＲＣＥＰの第３回首脳会合でのことだった。インドのナレンドラ・モディ首相は、ここで次のように語った。

「ＲＣＥＰの契約をインド人の利益に照らすと、肯定的な答えを出すことができない。〝ガンジーのお守り〟も私自身の良心も、インドをＲＣＥＰに参加させることを許さなかった」

中国とインドが挟むアジア圏に1つの経済連携が出現しようという大詰めのタイミングで、インドは苦渋の決断を下した。このときのモディ首相の心境を読み解くカギとなるのが、「Gandhi's Talisman（ガンジーのお守り）」である。これは、１９４８年に暗殺されたインド独立の父であるマハトマ・ガンジー（１８６９～１９４８年）の名言であり、それを要約すると次のようになる。

「あなたにお守りを差し上げます。迷ったとき、気になるときには次のことを試してみなさい。これまでに見た最も貧しい人々の顔を思い出して、自分に問いかけなさい。そして、自分が行おうとしていることが、空腹で、精神的にも満たされていない数百万人のためのスワラージ（自立）をもたらすことにつながるのかを考えてみなさい。そのとき、あなたの疑問は解けていくでしょう」

当時のインドは、英国の植民地支配に対する反英闘争の真っただ中にあった。ガンジーがとった非暴力・不服従の抗議手段は世界的にも有名で、暴力ではなく、英国との貿易や取引を拒否し、自立運動を行使することだと訴えた。

「スワデーシ（自国の）」という言葉とともに、「スワラージ（自立）」という言葉が、インド独立運動のスローガンになっていく。手織りの布をまとったガンジーがチャルカ（手紬車）を繰る姿は、英国からの輸入品ではなく国産品を愛用するという「スワデーシ（国産品愛用精神」のシンボルとなった。

米国からトランプ大統領夫妻が訪印した2020年2月、モディ首相はインド西部の世界遺産であるアーメダバードのアシュラム（僧院）に同夫妻を招き、このチャルカを紹介した。モディ首相がチャルカを回すシーンはたびたびインドのメディアで取り上げられているが、そこからはモディ首相のガンジーに対する敬愛ぶりが伺える。ちなみにモディ首相は、ヒンドゥー愛国主義に傾斜し、インドの価値観を全面に出す人物だとも伝えられている。

モディ首相は、RCEPに参加するかどうか、その疑わしい場面に直面し、人口の6割を占める農民を思い描き、最終的な判断を下したのかもしれない。確かにインドがＲＣＥＰに参加すれば、オーストラリア産やニュージーランド産の農産物、酪農品などがたちまちインド市場に溢れることになるだろう。ＲＣＥＰに参加すれば、恩恵に浴する一面もあるだろうが、国家経済の自立を危うくする一面もある。一方で、拓殖大学名誉教授の小島眞氏は「インドは日本や韓国と経済連携協定を結んでいるが、両国との間での貿易赤字は大きく拡大しており、インドにとってはメリットが薄い」とし、これもＲＣＥＰ不参加の一因だと指摘している。

「インドの戦略的自立」が国是

２０２０年５月、モディ首相はコロナ禍にある国難を救済するために新たな政策を打ち出し、この構想に「Atmanirbhar Bharat Abhiyaan（インドの自立化）」という名称をつけた。

先に述べたスワラージ（自立）は、国父ガンジーが理想とした社会メカニズムだが、「インドの自立化」構想の根底には、ガンジーの時代から受け継ぐ「スワデーシ精神」があるようだ。またそれだけではなく、「外交面においても米ソ対立の冷戦時代から、基本的にどことも与さず『戦略的自立』を国是としてきた」（小島氏）という、インド独自のポリシーがある。

もっともこれは、ガンジーが主張したような「すべてを国産で」という〝孤高の道〟を意味しない。モディ首相は「インドを世界経済の中でより大きく、より重要な部分にする」と構想しており、インドの独立記念日にあたる2020年8月15日、国民に向けてこう呼びかけている。

「現在、世界中の多くの企業が、インドをサプライチェーンのハブとみなしている。私たちは、世界のためのものづくりを進めていかなければならない」(「The New Indian Express」紙)

「インドの自立化」の政策には、軍需製品については5年以内に輸入を禁止して全面的な国産化にシフトさせ、将来的には輸出国に転換すること、また5Gネットワークについては世界一流レベルのものを構築すること、そして製造業においては「メイク・イン・インディア」から「メイク・フォー・ザ・ワールド」を目指すことなどが盛り込まれている。

同時に、中国企業に対しては、「名指しこそしないものの、近年進出が著しい中国企業から地場企業を保護する意味で、『地続きの国からの対印投資』を厳しく審査する政策を打ち出している」(小島氏)という。

インドにおける5Gネットワークの構築や6Gの技術連携においては、インドは日本との連携を着々と進めている（「日本経済新聞」２０２０年11月27日）。また、台湾の大手受託製造企業を中心に、台湾企業が中国からインドへ生産拠点を移転させる動きも活発化している。日本や台湾がインド中心のサプライチェーンの構築を大きく後押ししそうな気配だ。

中印両国が二大文明を復興？

２０１９年11月4日のＲＣＥＰ第３回首脳会合で、モディ首相がＲＣＥＰへの不参加を表明したことは前述したが、その数週間前の２０１９年10月11、12日に、モディ首相はインド南部のチェンナイに中国の習近平国家主席を迎え、非公式会談を行っていた。当時の画像は、両氏とも笑顔で、あたかも意気投合したかのようにも見える。この場で習主席は次のように呼びかけた。

「将来の数年間は、中印が民族復興を実現し、中印関係を発展させるための重要な時期となる。我々は、戦略的かつ長期的な観点から中印関係の百年の計を立ち上げ、手を携えて中印両国の二大文明を復興させなければならない」

中印両国は数千年の歴史をもつ東洋の文明国家であり、近年は世界に台頭する経済新興国として注目を集めている。習主席は、「中国の夢」（中国が打ち出した思想で、過去の栄光を取り戻す意味が含まれている）のインド版を想定し、古代の二大文明国家は今こそ民族復興を果たすべきだ、とインドに呼びかけた。

確かに13億人の人口を抱えるインドは、10～20代の若い労働人口が最多を占める上に市場規模が大きいという点で中国と酷似する。また、両国がたどってきた歴史もその痛みを共有する。

約1世紀前の1919年はそれを象徴する年となった。列強支配への抗議に端を発する重大な出来事がインドと中国で起こったのである。インドでは4月に「アムリットサル事件」が起きた。パンジャブ地方のアムリットサル（シク教の聖地）において、スワデーシ（自立）の要求と英領インド政庁が制定した治安法令への市民の反対運動に対し、イスラム教徒で編成されたインド軍隊が無差別に発砲したのである。

また、中国では5月に「五四運動」が発生した。日本の「対華21カ条要求」がパリ講和会議で承認されたことを不服とし、学生や民衆が反帝国主義運動を全国的に繰り広げた。アジアの二大国の痛みは同じであり、共に英貨排斥、日貨排斥、国産品愛用という運動を起こしたという歴史がある。

習主席が国家主席として初めて訪印した2014年9月、筆者はインドの隣国バングラデシュで取材活動をしていた。このとき、バングラデシュの英字日刊紙である「The

Bangladesh Observer」の記者と対談したのだが、バングラデシュ人記者が「中国はインドと一緒になってアジアを支配したいと思っている」と語っていたことが今でも記憶に残っている。

上述したチェンナイ非公式会談では、「中国とインドの民族の復興」という言葉さえも飛び出したように、あながちそれはでたらめな話ではなかったのだ。この２つの大国が一致団結すれば、世界に対し比類なき影響力を及ぼすことができる。

「アジアは1つである」とは、明治時代を代表する思想家の岡倉天心（１８６３〜１９１３年）が著した『東洋の理想』（１９０３年にロンドンで刊行）の冒頭の一節だが、没後１００年余を経た現在、植民地支配から独立した中国とインドの間で、アジアでの一体化を目指す働きかけが行われていたことは注目に値する。

中国が警戒する「インド太平洋構想」

一方で、中国が神経をとがらせている動きがある。その1つが「インド太平洋構想」だ。２０１６年8月、安倍首相はケニアで開催されたアフリカ開発会議での基調講演で、「自由で開かれたインド太平洋構想（以下、ＦＯＩＰ）」を提唱した。

「インド太平洋構想」は「一帯一路」に対抗する概念とみられがちだが、その源流は、第一次安倍政権下の２００７年にさかのぼる。同年5月に「日米豪印戦略対話」（後述）の初会合が行われ、8月に安倍首相は、インド国会でインド洋と太平洋の合流地点の重要性を演説した。中国が「一帯一路」構想を正式発表（２０１４年11月）する7年も前のことである。

ＦＯＩＰは、インド太平洋地域で最も強力な４つの民主主義国家である日・米・豪・印が、国際公共財として自由で開かれた海事秩序を発展させ、法による支配を促進し、航行の自由と自由貿易を確立させ、国や地域に安定、平和、繁栄をもたらそうという取り組みである。

しかし、ＦＯＩＰには、インド太平洋地域における中国の影響力を弱めようとする狙いも含まれるとの見方が一般的だ。そのため、近年、中国はＦＯＩＰに警戒心を抱くようになっている。

他方、インドが「インド太平洋」という概念を重視するようになったのは、２０１０年代になってからのことで、中国・北京大学の王麗娜氏の論文「インドのモディ政府の『インド太平洋』戦略への評価」によれば、「インド政府は２０１１年に『インド太平洋』の概念を公式に言及するようになった」という。

２０１４年5月に発足したモディ政権は、インド太平洋地域の平和と安定を維持させるための独自の動きを活発化させた。同年11月10日にインドを重要な沿線国に含む「一帯一路」構想を中国が発表するや、モディ首相は28年ぶりにオーストラリアを訪問、11月18日に、オーストラリア軍との合同海事軍事演習の開催を含む国防関係強化のための契約に署名をした。さらに2015年、インドは新たな海事戦略「インド海上安全保障戦略（Indian Maritime Security Strategy）」を発表し、海上安全保障における「インド太平洋」の重要性を打ち出した。

「国境問題については一歩も譲らないという姿勢を貫く一方で、中国とは経済面で互いに関係を拡大させようとしてきた」（小島氏）というインドだったが、その関係は複雑な一面を覗かせるようになった。2014年5月のモディ新政権の発足後、同年9月に習主席が「一帯一路」にインドを参加させる思惑で訪印したが、共同声明に「一帯一路」の文言は盛り込まれなかった。

その後、2017年5月に中国・北京で開催された「一帯一路国際協力サミットフォーラム」もインドは欠席した。中印関係は浮き沈みを繰り返し、ついに2020年5月には中印国境地帯で軍事衝突が発生する。事態は深刻化し、長期戦に及ぶ懸念が持たれている。

日・印・豪でサプライチェーン構築の動き

中国が警戒するもうひとつの動きは、日本とインド、オーストラリアが中国の支配力に対抗するための、強力なサプライチェーンの構築だ。

2020年9月1日、日本の梶山弘志経済産業相、オーストラリアのサイモン・バーミンガム貿易・観光・投資相、インドのピユシュ・ゴヤル商工相が参加するオンライン会議が行われ、「サプライチェーン強靭性に係る日豪印経済閣僚共同声明」が発表された。

この会議において3閣僚は、新型コロナ危機と最近の世界規模での経済的・技術的な変化を踏まえ、インド太平洋地域においてサプライチェーンを強靭化する必要性とポテンシャルを強調し、地域的協力における緊急的必要性と、協力を通じて新たなイニシアチブの立ち上げに取り組む意思を共有した。インドを中心にグローバルな製造・供給網を築きたいとするインドにとって、日・豪が戦略的なパートナーとなる可能性が出てきた。ちなみに日本、インド、オーストラリアといえば、米国を加えたインド太平洋の安全保障メカニズム「日米豪印4カ国戦略対話（以下、ＱＵＡＤ）」の参加国でもある。

そのＱＵＡＤが２０２０年11月、軍事レベルの動きを見せた。同月3日から始まったインド・ベンガル湾における軍事演習「マラバール２０２０」である。これにはインド海軍、アメリカ海軍、海上自衛隊、オーストラリア海軍が参加し、初の合同軍事演習が実現した。

中国は演習開始以前からＱＵＡＤの動きを注視しており、10月20日の「環球時報」社説は「中国が外交圧力をかけて4カ国の結集を阻止するのは難しい。避けられない衝突は成り行きに任せるしかない」と、紛争の可能性すら仄めかしていた。

歴史の痛みを共有したはずの中印だが、習主席の呼びかけに応えた共同路線ではなく、対抗して割れる二大勢力への道を突き進む。中印両国が手を携えて二大文明を復興する〝アジアの夢〟も、同床異夢と化してしまった。

巨龍と巨象がタッグを組めば 27 億人の市場が
生まれたはずだった (中国の SNS より)

中国製品のボイコット。インドのテレビ放送が
中国でも報じられた (中国の SNS より)

2020 年 5 月以降、中印のにらみあいは
長期化している (中国の SNS より)

7-5 「選択肢は中国だけではない」、台湾と急接近するインド

インドと中国の互いに譲らぬ激しい対立に、台湾が絡んできた。インドの首都ニューデリーで、きわめて象徴的なある事件が起こった。10月10日の双十節（台湾の建国記念日に相当）の前夜、在インド中国大使館の入り口に近いところで、〝禁断のポスター〟が掲げられたのである。

ツイッターで拡散したポスターの画像には、台湾の青天白日旗が印刷されていた。何者かが台湾の双十節を祝うポスターを、中国大使館付近に貼りだしたのだ。

この画像を拡大してみると、「Tajinder Pal Singh Bagga（バクガ）により発行」という文字も浮き出てきた。バグガ氏はインドの政権与党であるＢＪＰデリー地区のスポークスパーソンだといわれている。一体何が起こったのだろうか。

「中国大使館からのレター」に記者が反発

事の発端は10月7日にさかのぼる。インドの日刊紙「The statesman」によると、3日後の10月10日の双十節に、インドのＴＶ局ＷＩＯＮが双十節の特別番組を放映することをＰＲ

するため、「THE INDIAN EXPRESS」紙ほか、複数のインド紙にカラー刷りの全面広告を掲載したという。これを見たニューデリーの中国大使館は、ソーシャルメディアと電子メールでインドのメディアに対し、「中国大使館からのレター」と題された文章を送り付けた。冒頭で「親愛なるメディアのみなさん」と呼びかけ、「世界には1つの中国しかない。中華人民共和国の政府はすべての中国を代表する唯一の政府である」と、中国の立場を強く主張した。すると、このレターを受け取った記者やジャーナリストが反発の声を上げたのである。米国のオンラインメディア「THE DIPLOMAT」は10月8日、インド在住の外交・安全保障の専門家、アブヒジナン・レジ氏による「中国はインドメディアのために厚かましくも台湾ガイドラインを発行」というタイトルの記事を掲載した。レジ氏は、「手紙は驚くべきことに、〝国〟あるいは〝中華民国〟と呼んではならない、中国台湾のリーダーを〝大統領〟としてはならない、と付け加えていた」と中国の高圧的な態度に不快感を表した。

また、レターは「私たちは、中国関係の報道を通して、メディアのみなさんとのコミュニケーションを維持する用意がある」という言葉によって締めくくられているが、同氏は「これを無視すると、中国大使館へのアクセスが失われる可能性がある」とし、協力しなければ中国の取材は許さない、すなわち記事は書かせない、という中国大使館の圧力に恐れをなした。

このレターは、インドのジャーナリストらによってツイッターでシェアされた。折しも国境地帯での対立をきっかけに、インドでは国民が中国製品のボイコット活動を展開し、インド政府はＴｉｋＴｏｋをはじめとした59種類の中国製スマホアプリの利用を禁止している最中だった。そんなインドで、〝中国大使館による〟〝高圧的なレター〟が波紋を広げたのだった。

中国には一歩も譲らないインド

こうした状況の中でインドは10月10日を迎えた。台湾の旗が印刷されたポスターは、当局の指示で数時間後にはすでに撤去されていたが、一時的にせよ台湾の旗がインドで掲げられたことは衝撃的な事件となった。英字メディア「The telegraph」は次のように伝えている。

「中国大使館のスポークスパーソンは、『中国は、〝2つの中国〟または〝1つの中国、1つの台湾〟を作ろうとする個人またはいかなる動きにも断固として反対する』とツイートした。するとバグガ氏もツイートで反撃した。『インド人として、私は今でも1つの中国、1つの台湾、1つのチベット、1つの香港、1つの新疆の立場をとっている』」

インドと中国の国交樹立は1950年4月にさかのぼり、インドは非共産圏では最初に中国を承認した国となった。拓殖大学名誉教授の小島眞氏が執筆した論文「インドが直面する2つの試練：新型コロナウィルス禍と印中国境紛争」には、「独立後、ネルー首相の下で極めて友好的なものに終始した対中政策は、１９６２年の国境戦争で見事に打ち砕かれる結果となった」とある。インドは一貫して「１つの中国」を支持しているが、「現在のＢＪＰ政権の対中政策はそうした反省に基づいて、中国には一歩も引かない政策を採用している」と小島氏は指摘している。

モディ政権が発足して間もない２０１４年秋、スシュマ・スワラジ外務大臣と王毅外相との会談でもインドの中国に対する厳しい姿勢が見てとれた。スワラジ大臣は、「インドが『１つの中国』に同意するためには、中国がインドの『１つのインド』を再確認すべきだ」と発言した。中国がインドのアルナチャル・プラデシュ州をチベットの一部と見なしていることを批判する発言だった。

台湾のハードとインドのソフトは相性がいい

そんなインドが、ここに来て台湾にさらなる接近を図ろうとしている。小島氏によれば、「インドは台湾と公式な外交関係は樹立していないにもかかわらず、印台関係を重視している」という。１９９５年に、台北には「インド―台北協会」を、またニューデリーに「台北経済文化センター」を相互に設置したのはその表れだ。

しかも「インド―台北協会」のトップには、インド外務省の前北米部長で、在中国インド大使館に勤務経歴があるゴランガラル・ダス氏が抜擢された。この任命は多くの憶測を呼び、中国「環球時報」は「台北との関係のグレードアップを図るものだ」と報じた。

また、インド経済が専門の小島氏によれば、インドと台湾の経済関係も好調に推移しているという。

「2019年度の印台間の貿易総額は57億ドル（約6200億円）であり、すでに日印貿易の3分の1の規模に達しています。米中関係の悪化に伴い、台湾は生産拠点を中国以外の地域に移転させる必要性が高まっており、高レベルで豊富なIT人材を抱えるインドがますます有力な移転先になるはずです」

すでに約120社の台湾企業がインドに進出し、インドに拠点を持つ鴻海（ホンハイ）や緯創資通（ウィストロン）などの電子機器受託製造サービス（EMS）大手は、今後さらに大規模な投資を計画しているという。

「台湾のハードとインドのソフトウェアの組み合わせは、双方のIT産業の発展にとって極めて相性の良いものでしょう」（同）

台湾のハードウェアとインドのソフトウェアは相性がいいといわれている

世界の半数以上の国と地域にとって、中国は揺るぎない貿易パートナーだが、中国は相手国の足元を見透かすようにして、国際的な圧力を強めてきた。だが、ここに来て周辺の国々ではパートナーシップ再編の動きが加速している。モディ首相が率いる現在のインドの動きも、「選択肢は決して中国だけではない」ことを示しているといえるだろう。

7-6 「日本の牙城」と呼ばれたタイで起きる玉突き現象

進出ブームで日本人が急増

タイは「日本の牙城」だといわれてきた。トヨタに代表されるように、タイに初の海外拠点を求めた企業は少なくない。日系サプライヤーの進出が始まったのは1970年代。以来、日本の自動車メーカーが現地生産体制を強化していくなかで、タイはアセアン最大の自動車生産国に発展した。親日国かつ政治的にも安定しているという素地があり、タイには自動車産業のみならず、多くの日系企業が進出した。

近年では「チャイナプラスワン」でタイへの進出が加速する。2012年、日本政府による尖閣諸島の国有化がきっかけで、中国各地で大規模な反日デモが起こり、これが引き金となり、労働集約型の企業を中心に東南アジアへの進出ブームが本格化した。年々、中国の労働者の賃金は高騰する中で、損切りできなかった企業の背中を押した形となった。

外務省の統計によると、タイの在留邦人数は2011年から12年には4万9983人から5万5634人と11%も増え、その後、2018年には7万5647人に達して米国、中国、オーストラリアに次ぐ第4位となった。1997年の2万3292人と比較すれば、20余年で3倍以上に増加したことになる。

こうした変化は日本人学校にも表れる。文部科学省によれば、２０２０年4月時点で日本人学校は世界に95校あるというが、バンコク日本人学校は最も歴史が古く最大の規模を誇る。２０００年代には上海日本人学校と生徒総数を競ったこともあったが、いまなお世界最大の日本人学校であり続けている。

転換期に差し掛かる日系のタイビジネス

１９９2年、バンコク伊勢丹は鳴り物入りで開店した。日系百貨店の進出が、現地の日本人駐在員とその家族の生活をどれほど便利なものにしたかは計り知れない。もちろん、地元市民も大歓迎だっただろう。しかし近年は、その優位性の維持が難しくなっていた。

２０１9年夏に筆者はバンコク伊勢丹を訪れた。バンコクの日本人人口は増加し、日本人向けの品揃えを充実させていながらも、店内で日本人の利用者はほとんど見られなかった。また、多くの人が闊歩する賑やかな大通りに面していながらも、客はここを素通りしていた。時代の最先端を行くタイ資本の商業施設が林立する中で、〝旧いモデル〟の日本式百貨店は苦しい闘いを強いられたことは察するに余りある。テナント契約の満了を理由に、バンコク伊勢丹は２０２０年8月末でついに閉店した。

大通りに目を向ければ、日系自動車メーカーが生産した路線バスが奮闘している。目を奪うのは、その老朽化した車体だ。エアコンもなく、窓もない、時折黒い煙を上げながらも、古びた車体はいまだ現役で走り続けている。それはひとえに、日本の技術力と整備体制がもたらした奇跡だといえるが、バンコク在住の日本人は「日本の斜陽を見る思い」だと本音を漏らしていた。

日野自動車は、1997年にバンコク大量輸送公団（BMTA）に路線バスが採用されて以来、25年間にわたって追加納入を続けてきた。このバンコクの路線バスこそ「日系の牙城」の象徴だった。しかし、近年は中国メーカーの新エネルギー車がプレゼンスを高めている。エアコンが効いた路線バスは若い人たちに人気だ。電気、ハイブリッド、天然ガス、燃料電池、トロリーと多種多様なバスに力を入れる中国は、新エネルギー車で世界の市場制覇を目論み、国を挙げてこれに取り組んでいる。最近ではタイの清掃車市場まで狙っている。

ものつくり大学名誉教授の田中正知氏によれば、日本勢が引き離されてしまったのは根本的な要因があるという。

「日本は石油ショック時に乗用車を外貨の稼ぎ頭として厳しく育てる一方、バスやトラックは全産業を支える基盤だとし、国策で保護しました。その結果、国際競争力を削ぐことになってしまったのです」

中国勢が日本の牙城に本格参入

中国は近年、タイへの投資を活発化させている。２０１９年のタイへの直接投資金額（認可ベース）は、中国は７３８億バーツ（約２５１０億円、１バーツ＝約３・４円）で２位であり、1位の日本の８８１億バーツ(約３０００億円)に迫る勢いだ。日本貿易振興機構（ＪＥＴＲＯ）によれば、認可ベースの大型案件では、商用車のタイヤ製造、金属製品・金属部品の製造、電気・電子製品の製造などへの投資があるという。

しかし申請ベースで中国は２６００億バーツ（約８８４０億円）であり、全体（５０６２億バーツ、約1・7兆円）の約51％を占めて首位に立った。タイ投資に出遅れた中国勢だったが、中国政府による「一帯一路」構想と、タイの経済開発計画である「タイランド４・０」や「東部経済回廊」とを一体化させようと、目下、積極的な投資を進めている最中だ。

特に中国自動車業界は新エネルギー車市場には食指を動かし、タイを製造拠点に東南アジア、オーストラリアなどへの輸出を構想している。中国勢は「日系企業の牙城とはいえ、優位性はガソリン車でしかない。東南アジアの新エネルギー車市場については真空地帯だ」（「中国鉄鋼新聞」）という認識を持っている。

中国の国産自動車メーカーとして知られる長城汽車は、２０２０年2月、タイ中部のラヨーン県にあるゼネラルモーターズのＳＵＶ（スポーツ用多目的車）とピックアップの生産工場について買収契約を交わした。ゼネラルモーターズ（GM）は同年末までにタイでの生産・販売から撤退するという。

米中貿易戦争などを理由に台湾企業もタイ進出を進めているが、その勢いは用地の取得にも表れる。工場用地など事業用不動産を取り扱うGDMタイランド社（本社：バンコク）には、台湾の大手有名企業などからの問い合わせが急増しているという。

同社の代表取締役社長・高尾博紀氏は日々の取引のなかで目の当たりにする台湾系企業のすさまじい競争力についてこう語っている。

「従業員には最低賃金すら払いませんが、その代わりに宿舎に住まわせ食事を与えています。経営者自らも工場敷地内に住んでいます。工場で使用する電力の半分は自前で賄っています。屋根の太陽光パネルを台湾から輸入して自分で施工すれば、外部事業者に取り付けを委託するのに比べて半分以下の、わずか3年で投資が回収できるためです。工場敷地内にはゲストハウスも作ってしまう勢いです。さらに、広大な土地を保有したり、コンドミニアムを100戸も運用したりと、不動産投資にも熱心です。日本企業とはコスト構造がまるで違います」

徹底した「自前主義」は、オーナー企業ならではのコスト意識なのだろう。筆者の友人にも、設備のリニューアル工事や自社ビルの高圧洗浄など、業者委託にせず社員を投入してやってのけてしまう台湾人経営者がいる。

日本企業がはじき出される〝玉突き現象〟

こうした台湾系企業の南下には、政策主導による「台湾回帰政策」と「新南向政策」という大きなビジョンがあることはすでに述べてきたとおりだ。台湾は、米中対立の先鋭化をいち早く察知し、中国に進出した高付加価値産業を回帰させる一方、労働集約型の産業を南下させ、新たな産業チェーンを築く構想を打ち出したのだ。機を見るに敏な行動、空気の変化を嗅ぎ取る機動力ある政府の体制が、台湾系企業の次なる一手をタイムリーに導いたことは間違いない。

結果として、中国系企業や台湾系企業の南下は、タイの市場から日本企業がはじき出されてしまう〝玉突き現象〟をもたらしている。高尾氏は「南下してきた中国企業の安価な製品に日系大手メーカーが発注をシフトさせてしまったため、安定的な受注を失ってしまう日系サプライヤーが出てきています」と、その影響を明かす。

高尾氏によれば、「チャイナプラスワン」のブームに乗り、勝てる要素がないままにタイに進出した日系企業や、赤字の垂れ流しでなかなか損切ができない日系企業が散見されていたというが、タイではこれらの企業の淘汰が始まっているというわけだ。

日本企業が進出先で競争力を発揮できないのは、「護送船団方式」にあるともいわれている。完成品メーカーの下に「下請け」、「孫請け」が連なる産業ピラミッドの水平移動と、そこへの安住が、競争力低下をもたらしているのではないかという見方だ。

実は2000年代前半の中国・上海でも同じことが課題として浮上していた。進出してきた自動車メーカーの中には、このようなガチガチのピラミッドからの脱却を図り、上海という国際市場を舞台に積極的な「全方位外交」で、さまざまな国籍の企業との間で取引を増やし、市場拡大に乗り出そうとする企業もあった。一方で、日本勢は外国企業に対し、機密漏洩を警戒し、知財保護という認識を非常に強めているため、なかなかパートナーが広がらないともいわれ、「国際競争力の発揮」は一貫した課題であり続けてきた。

この先、タイで日系企業がたどるのは撤退の続出――というシナリオなのだろうか。10年を超える長期にわたってタイ市場の変遷を見てきた高尾氏はこう語る。


「一部の日系企業は、タイからの撤退を考えています。強い中堅企業もありますが、優勝劣敗の差は激しくなっています」

タイの足元では、反王室を唱える若者が反対運動を活発化させている。その若者はファーウェイのスマホなど中国製品を愛用し、中国語を積極的に学んでいる。日本勢にとって親日的で安定性が魅力だったタイで、今、静かに地殻変動が起きている。

バンコクの伊勢丹は2020年8月末に閉店した

中国製のエアコンが効いたバスに人気が集まる

7-7 日本企業の競争力をそぐ〝接待文化〟

2010年代前半、中国を撤退する日本企業が続出した。「チャイナプラスワン」はその当時生まれた言葉だが、その後、進出先となったタイでも「撤退」が現実味を帯びるようになってきた。いずれも共通するのが「人件費の高騰」だが、日本企業が競争力を発揮できない原因はそれだけだといえるのだろうか。

1988年から30余年にわたり中国に進出する日系企業の経営指導に当たってきたという、コンサルタントの小田護氏は最近「日本企業は進出先の海外で同じ轍を踏んでいるのではないか」という疑問を抱くようになった。

「進出先の海外では、激しい競争、政権交代による影響、法令法規の改定、あるいは技術漏洩など、さまざまなリスクが潜在することは想定済みのはずですが、日本企業はなぜかいつの時代も同じ問題に頭を悩ませています」

東南アジアに次なる新天地を求めたものの、そこで起死回生するどころか、日本企業が厳しい状況にあることはすでに前述したが、小田氏が考えるのは、日本企業の行動に特異なものがあるのではないか、という可能性である。

確かに、近年は株主総会でコンプライアンス違反が厳しく問われるようになり、日本企業の行動もより一層に慎重さを増すようになった。中国系企業や台湾系企業が、失敗を恐れず〝自由闊達〟に〝やりたい放題〟できるのとは異なり、先進国に属する日本の企業として求められる責任は重い。また、プロセスを重視するがために意思決定はどうしても遅れがちだ。こうしたことが、新興国市場で足かせになっている可能性は察するに余りある。日本企業が競争力を出せない理由は枚挙にいとまがないが、筆者が「なるほど、これもひとつの要因なのではないか」と思った指摘があった。中国人の目に映る「日本企業の不思議さ」である、それを以下に取り上げたい。

中国人の目に映る日本企業の独特な商習慣

大阪在住の中国籍男性Ｊ氏は、日本と中国の大手メーカー間の大型案件取引を幾度もまとめてきた人物の一人である。

「日本の一部上場メーカーＡ社が手掛けるある機械を、中国の自動車メーカーに売ったことがあります。このとき、取引金額の５％に相当する数千万円の手数料が、なぜか日本の某商社のB社に渡りました。B社は何の仕事もしていないのにおかしいじゃないか、と私は疑問に思いましたが、これは日本企業の商習慣だということが後になってわかりました。商社にわたった金で、のちにメーカーのA社は商社のB社から接待を受けたのです。B社は毎年、そういう金をメーカーからもらっており、これを使ってメーカーの部長や課長を接待するのです。重役クラスになると『この店なら500万円まで使っていい』などという『枠』まで設けられるわけです」

さすがにすべてのメーカーや商社がこうしたことに手を染めているとは思えないが、日本の企業には裏金を作るカラクリがあることを指摘するJ氏の話は、さらに日本の商社の特異性にまで及んだ。

「企業が海外進出する際に、商社は大きな力を発揮します。部品の調達はもちろん、ありとあらゆる現地手配を行います。外国語に弱い日本企業にとって、万能な商社なくしては海外ビジネスができない、とまでいわれるほど、商社は日本の企業文化の中に深く浸透し、同時に飲食を伴う接待文化までが海外に輸出されるようになったのです」

J氏は、「日本企業の競争力がない理由はこうしたことと無関係ではない」と話している。

上海進出企業を取り巻く環境の変化

90年代に上海に進出した日本の中小部品メーカーがある。仮にC社としておくが、この企業の上海事業の発展と終焉には、日本企業ならではの特異性が色濃く反映されていた。

筆者が上海で自動車部品を生産するC社のK社長と出会ったのは、90年代後半のことだった。バブル崩壊と通貨危機で日本の活力が失われていく中で、いち早く日本を脱出し上海に根を下ろしたC社は絶好調だった。ユニクロのフリースに象徴されたように、中国が世界の工場として急成長を遂げる中、中国に生産工場を構えたC社も、中小企業ながら年々業容を拡大させていた。

C社が立地していた上海郊外のD区は、当時はまだ田畑が広がる農村地帯だった。ところが２０００年代に入ると、進出する外資企業の増加とともに郊外の地価も上昇した。D区政府は90年代に日本から進出してきたC社を手厚くもてなしたが、それも長くは続かなかった。

上海市の大きな計画の中で、D区がハイテク産業都市に位置づけられるのは、２０００年代中盤を過ぎたころからだった。ハイテク関連産業を誘致したいとするD区政府は、C社のような〝アナログ部品工場〟が目障りになってきた。そうこうするうちに、D区政府はC社に立ち退きをほのめかすようになる。「このままでは、上海市から遠く離れた他省に移転せざるを得なくなる」とC社のK社長は頭を抱えた。

こうした経緯に、筆者も中国の地方政府の冷徹さの一端を垣間見る思いだった。さんざん「熱烈歓迎」で誘致しておいて、不要となればお払い箱だ。酒宴の席では何度も繰り返されたであろう「日中友好」という言葉も虚しい。

その後、C社はこの難局を乗り切るために、「構造転換」に乗り出した。これまで行ってきた部品加工のさらに川上の領域を目指し、設備を導入して、D区政府が望むような「ハイテク企業」に変身しようとしたのである。しかし、この計画は成功しなかった。最後には資金ショートを起こしてしまい、C社は身売りをせざるを得なくなってしまったのである。K社長が身売り先探しに東奔西走すること数カ月、ようやく相手企業が見つかり、話がまとまった。しかしその翌朝、K社長は上海の自宅ですでに帰らぬ人となっていた。

身近で起こったショッキングな事件だったので、筆者はこうした悲劇を題材にとることはなかったが、もしこの教訓を日本の読者に伝えようとすれば、見出しを「命までも失う中国進出の過酷な実情」としただろう。中国の体制の理不尽さと厳しい要求の中で、力尽きた日本人経営者を描いたかもしれない。

会社を失くした真の理由

ところが、この事件から十数年が過ぎた2019年、筆者は別の事実を知ることになった。それは、K社長の金遣い、つまりコスト意識の低さだった。筆者は偶然にもC社の過去を知る中国人社員と再会したのである。同社の元社員だった彼女が語ったのは、「今だから言える昔話」だった。

「K社長はお金の使い方に問題がありました。ゴルフも接待飲食もすべて会社のお金で、公私混同の行き過ぎは社内でも問題になっていました。会社の命運を賭けて設備投資も行いましたが、それもお遊び程度のものでした。社内では『やるならもっとちゃんとやれ』という声も高まっていましたが、K社長は耳を傾けようとはしませんでした」

K社長は、某有名大手メーカーの退職者E氏を社員として採用し、上海に駐在させていたのだが、彼女の話はE氏の「駐在員生活」にも及んだ。

「Eさんが住んでいた上海の住宅に泥棒が入ったんです。パスポート、現金、クレジットカードなど、金目のものはすべて盗まれましたが、すぐに犯人は見つかりました。それは

Eさんがナイトクラブで知り合って懇意になった愛人で、スペアキーを渡していたことから自宅に入られたというわけです」

この手の話はもはや中国では珍しくもないが、しかしC社の元社員からすれば、「日本人は中国に遊びに来ているのか」と思わずにはいられないという。彼女は「Fさんは今、どこでどうしているかしら」と言い、さらにこう続けた。

「Fさんは真面目でいい人でしたが、いつも寝不足でフラフラでした。毎日帰宅は深夜2時から3時だと言っていました。朝7時には出社しなければならないので、寝る時間は3、4時間程度です。Eさんは当時、毎晩のように接待が続いていました。お客の顔ぶれは、日本から視察に来た有名企業や銀行です。ナイトクラブでは1本2万元のボトルを何本も入れ、クラブの女の子たちに払うチップも桁が違いました。挙句の果てに、その飲み代をすべて会社に回してきました。私たちの1カ月分の給料をゆうに超える金額を、わずか一晩で使っていたのです」

こんな放蕩経営だから、会社は身売りをしなければならなかった。それは経営者に経営手腕というものが欠けていたからだ——。この元社員は、これまで封印されてきた事実を筆者に赤裸々に物語った。十数年を経て、ようやく語られた真実は、鬼籍に入ったＫ社長にとっては酷なものかもしれないが、決して厳しい要求を突き付けた中国政府だけのせいではなく、多くの日系企業に共通する〝潜在的な弱点〟を浮き彫りにするものだった。

サラリーマン文化が最大の弱点

ここで、再び前出の中国籍男性Ｊ氏の主張に戻ってみたい。Ｊ氏は「飲み食いは日本の商習慣」だとし、さらにそれを支えるのが、「サラリーマン文化」だと言う。

「そもそもメーカーにはこういうお金がないし、サラリーマンにも金がない。安い給料で、どこで楽しむかとなったときには、裏で接待を受けるしかない。そこで商社をかませるカラクリを思いついた。飲食のみならず、女性まで含めたフルコースです」

中国には、1回の利用で30万元、日本円にして４５０万円も請求するという想像を絶する夜の店もある。「旅の恥は掻き捨て文化」も根強いのか、日本人の行動は海外でエスカレートし、いったい何をしに来ているのか、と現地社員が首をかしげるほど、本末転倒ぶりを露呈させてきた。

接待文化は、日本が生んだ独特なサラリーマン文化なのかもしれない。サラリーマン社長が当たり前になる中で、自らもそういう道を歩いてきただけに、こうした文化は断ち切れないものがある。だが、J氏は「これをやっている限り、日本企業は競争に勝てない」とキッパリ言う。では、中国、台湾の企業はどうなのだろう。中国に駐在経験を持つ日本人に訊ねたら、「台湾や中国企業も接待はするが、メリハリが効いている」と言う。実際に台湾人の友人も「中国人や台湾人は夜遊びもするが仕事もきちっとやり、常に新しいチャレンジを追っています。つつがなく任期満了を待つ日本企業の駐在員とは同じではありません」と話していた。

日本企業が競争に負けるとどうなるか。そのあとの顛末はかなり悲惨だ。日本の大手企業ですら、中国、台湾企業に買収されることが珍しくなくなった今の世の中で、一部には邪魔者扱いされている日本人社員もいる。会議で意見を述べようものなら元部長職でさえも「買収された側の人間にものを言う資格はない」と一蹴されてしまうという。

昨今、日本企業のM＆Aが珍しくなくなる中で、「いっそのこと買収されて、悪しき伝統を入れ替えた方が日本人も目が覚める」という発言を耳にする機会が増えた。一度外資に呑み込まれ臥薪嘗胆したほうが、長い目で見てこれからの日本のためになるということか。

ちなみに、コロナ禍を経て拠点再編が始まりつつあることは前でも触れた。振り返れば、撤退に対中進出も「あそこが行くならうちも行く」という横並び感覚が色濃いものだった。

ついても、ついつい横並びで判断する「サラリーマン文化」が影響しているとしたら、残念なことである。

中国や東南アジアに広がる日本人向け飲食店街

7-8　日本の国策となった「カジノIR」が意味するもの

カジノ通いするために香港に移住した中国人

２０１８年10月、世界最長の「港珠澳大橋」は、香港・珠海・澳門（マカオ）を繋ぐ橋として鳴り物入りで開通した。９年の工期を費やし、全長55キロメートルを誇る。筆者は２０２０年初頭、この橋を通るシャトルバスに乗り、香港からマカオに向かった。筆者の隣りには中年の男性が難しい顔をして座っていたが、その雰囲気からしてとても観光に行くとは思えない。バスの乗客は中高年を中心とした香港市民だが、マカオに行くのはカジノでカネを増やすためである。

筆者は香港で「週末になれば必ずマカオに行く」という香港在住の山東省出身の男性金さん(仮名、40代)と出会った。「カジノに行くために香港に移住した」というほどの無類のギャンブル好きだ。驚いたことに、金さんが移住先に香港を選んだ理由は「マカオまで1時間という近さだったから」だという。彼は１９９０年代からマカオとの往来を始め、マカオ特区政府がカジノ経営権を開放してカジノ産業が大きく動き出した２００３年に、香港移住に踏み切ったと語る。

中国人のギャンブル好きは有名だが、新型コロナウイルスで感染源と疑われた武漢市の華南海鮮卸売市場の創業者もまた無類のギャンブル好きだといわれ、頻繁にマカオのカジノを往復していたという。スマホメーカー「金立（Gionee）」の創業者や家電量販店「国美電器」の創業者も、カジノに通って10億元、１００億元規模の派手な負け方をしていると聞く。

日本人の競馬やパチンコはある意味で娯楽性が高いといえるが、それに比べると、カジノに通う中国人は「ひたすら命がけで賭けまくる」という印象だ。一般市民の金さんもそれなりに真剣だ。彼が吐露するギャンブル話は生々しい。

「カジノでは、１００人中95人が負けることになっています。自分も負けた際の借金を、愛車のベンツを70万元（約１１００万円）で売り払って返済しました。クルマで済むならまだマシで、自宅を売る人だっています。だから香港は離婚率が高いのです」

確かに、カジノホテルの周辺には賭博客相手の質屋や不動産屋が何軒もあった。賭博資金の捻出に、自宅を抵当に入れるケースもあるのだ。

彼の唯一の武勇伝は「20万元（約３１０万円）勝った」というものだった。「その20万元を頭金にして、残りはローンを組んで、珠海に賃貸用のマンションを買いました」と語る。

ギャンブル歴20年。マカオでの賭博人生をすべてに優先させて、わざわざ山東省から香港に移り住んだ金さんだが、後にも先にも自慢話はそれきりだ。負けて愛車を手放したことが痛かったのか、彼はこう言っていた。

「それ以来、マカオに行くときは1万元（約15・5万円）だけ握りしめて行くようにしています」

さまざまな経験から、金さんは上限を設けることにし、それ以上は賭けないことにした。彼は「投資移民」という制度を利用して香港に来たと言うが、香港の事業に投資しているわけでもなければ、不動産に投資しているわけでもない。彼は今、マカオ通いだけを人生の楽しみに、「足つぼマッサージ店」の雇われ店員として客の足を揉み続けている。

中国化した闇の世界

筆者のマカオ訪問は90年代から始まり複数回に及ぶ。2018年の取材では、統合型リゾート（IR）の1つである「ギャラクシー・マカオ」を訪れた。そこは〝この世の異空間〟である。カジノの営業面積は東京ドーム（約4・7万平米）を超えるスペースで、そこにテーブルゲームやスロットマシンがぎっしりと並んでいた。IRのカジノスペースは「全体の敷地のごく一部だ」というのがその定義とはいえ、これはとてつもなく巨大な空間だ。

人垣を割って入ると、３人の中国人男性がバカラに興じていた。バカラはトランプのカードの数の合計を当てる単純なゲームだが、テーブルに向って左側に座っているくわえタバコ（室内は禁煙）の男性の横顔は真剣だった。男性はこのゲームで、18枚のチップにさらに9枚を積み上げ勝負に出た。チップ1枚は１０００香港ドルなので、このゲームでは37万８０００円を賭けた計算だ。

切れ長の目が手元のカードに集中する。カードを押さえた両の手は小刻みに震えている。人差し指と親指でカードの先を巻き込むようにゆっくりとめくり上げていく。数字の頭が見え始めるまでの、その時間は長い。全身全霊をかけてめくったカードだったが、男性の表情は最後まで固いままだった。彼はたった1ゲームで約38万円を失った。しかしその後も、彼は黙々と賭け続けた。38万円といっても、ここではほした金なのだ。超ＶＩＰともなれば、そのプレーは〝包房（個室）〟で行われ、１００万香港ドル（約１４００万円）を最低の掛け金に、億単位の金が瞬時に溶けるといわれている。

金が動くところ、そこには〝関連ビジネス〟が発展する。カジノの周辺には、〝独特な産業〟が発達し、宝飾品や高級時計、モバイルやパソコン、高級乾物の「燕の巣」などを売る店が軒を連ねる。不動産屋の看板には「売却したい方歓迎」とある。香港の足つぼマッサージ店で働く金さんが話していた「負けて自宅を売却する人もいる」というのも、あながち嘘ではなかった。

それにも増して目立つのは「押」と書かれた看板だ。これが意味するのは「質屋」であり、マカオでは無数に点在する。大陸客は宝飾品店や質屋で銀聯カードを使って高額品を購入し、それを売却する形で〝プレー代〟となる現金を手に入れる。街中にはこうした店が至る所にあり、このようなやり方はマネーロンダリングの温床にもなってきた。カジノ事業者とプレーヤーの間に介在する〝各種ブローカー〟が金の流れを地下に潜りこませる――マカオのカジノには闇の世界が広がっている。

「インバウンドの最大の目玉」といわれる日本のＩＲ構想は、ギャンブル好きな中国人観光客が主要な客だとされていた。そうなれば否が応でも「中国化」は避けられない。２０１８年７月に「ＩＲ（統合型リゾート）実施法」が成立し、３カ所の候補地が早晩決定される予定となっている。その賭博場では中国語が飛び交い、周辺には中国系の店や中国語の看板が立ち並び、さまざまなしくみが中国化するという、行政の力も、司法の力も及ばない極めて中国的な異空間が広がる可能性は高い。

コロナで暗礁に乗り上げるＩＲ計画

コロナ禍に見舞われたマカオでは、２０２０年８月のカジノ業の売上は前年同月比94・5

％減の13・3億パタカ（約180億円、1パタカ＝約13・5円）で、11カ月連続の下落となった。2020年1～8月の売上は363億パタカ（約4900億円）で、同期比81・6％の下落である。なお、米国も同じような状況であり、米カジノ大手の4～6月期の売上は前年同期比で9割以上も減少している。

このコロナ禍でカジノ経営は火の車で、事業者にとって外国投資どころではない。すでに外資カジノ事業者は日本から撤退した。5月に米ラスベガス・サンズは日本進出を諦め、米ウィン・リゾーツも横浜市の事務所を閉鎖した。「インバウンドの目玉政策」「経済効果4・3兆円」「外貨獲得、税収増にはうってつけ」――そんな威勢のいい言葉が躍った日本のIR計画だったが、コロナで状況は一変した。

「コロナですっかり状況が変わりました。うちはオンラインゲームに集中します」

こう語るのは、自称「カジノ屋」の日本人、N氏だ。同氏は、米国、香港、マカオでカジノ運営に携わる業界の古参で、政財界にも通じるIRの指南役でもある。そのN氏が「カジノは完全に事業環境が変わった」と言う。

マカオの賭博場では、それぞれのテーブルを囲むように黒山の人だかりができていた。まさに蟻集《ぎしゅう》といった表現がふさわしい。だが、コロナ禍の今となっては、ディーラーを囲むように複数の客が座るスタイルはもはや危うい。コロナ禍が終息しないなかで、3密のカジノは「クラスターの温床」になりかねない。コロナで局面が変わってしまった今、ハコモノIR計画は極めて不安定な状況に置かれている。

「IRは日本のインバウンド政策の目玉」という言葉を私たちは何度となく聞かされてきたが、これは「年間訪日客4000万人」という大量集客の前提があるからこそ成立する話だ。日本政府はギャンブル好きの中国人観光客から外貨を吸収しようと算段していたが、国境を越えた移動が困難になった今、そのシナリオはどうなるのだろうか。

「IRによる外貨獲得は絵に描いた餅になりそうです。日本政府は国民のタンス預金を狙うしかなくなり、客の8割を日本人に置き換えるでしょう」とN氏は語る。

しかし、これは現実的ではない。というのも、日本人はこのトランプゲームが得意ではないからだ。バカラは最も単純にして高額なギャンブルだともいわれ、瞬時にして勝負がついてしまう。わざわざトランプのカードの端を折るようにしてゆっくりとめくる〝しぼり〟という行為をするのは、「スリルを味わうためだ」と前出の香港人金さんは言っていたが、それほどの演出をしない限り、この賭博は瞬時に終わってしまうのだ。

「日本には1円パチンコがあるが、1万円を握りしめていけば半日から1日は遊べます。パチンコならば、せいぜい1週間に2〜3回通い、使う金額もせいぜいも2〜3万円程度でしょう。でも、その1万円をマカオに持って行けば、たった10秒で終わってしまうんです。カードギャンブルになじみのない一般の日本人が、30万円にぎりしめてバカラに興じるなんて考えられません。外国人があってこそのＩＲなんです」（Ｎ氏）

ガラス張りの経営ができるのか

突然の総理交代劇で報道を埋め尽くしたために陰に隠れてしまったが、元ＩＲ担当副大臣の秋元司議員が２０２０年９月９日、ＩＲ汚職事件の証人買収容疑で4回目の逮捕となった。インターネット賭博やスポーツくじを手掛ける深圳市の「５００ドットコム」から日本の政治家に金が渡されたという一件が明らかにしたのは、日本のＩＲ計画に中国企業が食指を動かしているという事実だ。日本のＩＲ参入を狙う中国企業が、利権と引き換えに日本の政治家に金を積む――マカオは、中国企業と日本の政治家を結ぶブローカーが暗躍する舞台裏となっていたのである。

「日本のカジノ参入を図る企業の多くは、表向きは日本の企業名でも、実際の中身は中国系です」（Ｎ氏）

それもそのはず、賭博場に納入するゲーム機器やコンピューターはもちろん、おしぼり1本に至るまで、そのすべてが利権なのだ。そこに中国資本が、「カジノ施設にうちの製品を入れてください」と言って金を積めば、政治家は「まかしとけ、まかしとけ」となる。積まれる金額も半端ないものだろう。そういう利権の切り売りを日本の政治家が中国企業に対してやっているのだとしたら、非常に嘆かわしい。

N氏は、「日本の政治家はしょっちゅうマカオに来ていましたが、視察と言いつつ、やっているのは利権の代償としての金稼ぎでした」と吐露する。そして、あまりにひどすぎるその実態に、「カジノの本質は日本の政治家によって捻じ曲げられている」と怒りを露にする。国家の将来、国民の生活を真剣に考えるどころか、やっているのは中国企業への利権の切り売りだとしたら、そんなIRなどそもそも日本に必要ない。

マカオのカジノに行くと、天井から黒い監視カメラが無数にぶら下がっていることに気づく。犯罪防止の目的もあるようだが、N氏は「監視カメラが見ているのは売り上げです」と語る。誤魔化しがないように、現場の管理をキッチリと監視しているというのだ。

2018年、マカオの税収は1342億パタカ（約1・8兆円）となり、そのうちカジノからの直接税収は、前年比13・6％増の1067億パタカ（約1・4兆円）に達した。カジノ税が8割近くを占めている構造である。

マカオでは現金輸送車が常に街を回遊しているのを目にするが、それは当局が常に売り上げをチェックし、とりはぐれのないように、3～4時間ごとに税金分の金額をきっちり回収しているためだという。

俗に「カジノ局」といわれる政府機関がある。正式にはマカオ特別行政区政府カジノ監察協調局（DICJ）といい、ここがカジノの売り上げを管理し、しっかりと税金を持っていく。つまり、カジノのカネの流れはガラス張りになっているということを意味する。本来ならば国を挙げ、本気になって「ガラス張りの経営」をやらなければならないのがカジノだが、日本政府や政治家からはまるで真剣味が伝わってこない。放っておけば不正の温床となるだけに、カジノ経営は単なる「経済効果」だけでゴーサインを出してはならず、海外の事例を研究した上での制度設計をまずは国民に示すべきなのだ。

富裕になったが幸せといえないマカオ市民

2019年、マカオの1人当たりの名目GDPは7万9251ドル（約980万円）となり、ルクセンブルク、スイス、アイルランドに次ぐ世界4位となった。言い換えれば、マカオの人々は豊かだということだ。マカオでは、カジノからの税収を基に、減税や教育費の15年間の無償化、高齢者の年金補助などの施策を実施している。さらに売り上げの一部を文化、社会、教育、科学などの発展に投入するなど、さまざま形で市民に還元している。マカオではディーラーの仕事にはマカオ市民しか就くことができないが、これは地元の雇用創出のためだ。

マカオでは、一貫して政府がカジノを指導する「政策支持型」を執っており、水も漏らさぬ課税を徹底している。カジノから得た税金は、開放以後約20年以上にわたり、マカオ市民の生活水準を向上させてきたのである。

２００1年にマカオ特別行政区政府は、マカオのカジノ王といわれた故スタンレー・ホーが独占し続けてきたカジノの経営権を開放し、２００２年以降複数のカジノ企業に参入を許した。わずか5年後の２００７年には、マカオは売上高でラスベガスを超えるカジノシティに成長し、２０２０年の時点で41施設が稼働するまでとなった。

もちろん負の側面もある。新型コロナウイルスによる肺炎の拡大で、マカオのＩＲは営業停止を余儀なくされた。税収の８割以上をカジノ税に頼るいびつさからも解るように、マカオの経済的打撃は想像を超えるものとなった。

実はコロナ以前から、マカオは雇用面での問題が潜在していた。１９９６年から２０１９年に至る平均失業率は３・1％（この間、最悪といわれたのは返還直後となる２０００年６月の7・1％）だが、２０１9年12月には１・７％まで低下した。マカオでは製造業に従事する人口はわずか４４００人だが、カジノ業界に従事する人口は約８万６０００人（数字は澳門特別行政区政府統計局、２０１８年）にもなる。雇用の創出にカジノが最大限に貢献したのはゆるぎない事実だが、その一方で数々の社会問題を生んでいる。

その1つが、著しい雇用の偏重だ。マカオの労働人口は29万人だが、実に33%の雇用がカジノに集中している。「母親はカジノホテルのベッドメイキング、父親は警備員、子はディーラー」というように、一家でカジノ産業に従事しているケースは珍しくない。

2つ目が「低学歴・高収入」の現象だ。カジノ業界で得る月収は平均2万パタカ（約27万円）で、金融業と同水準だ。しかし、金融業従事者と異なるのは、教育におけるバックグラウンドだ。華南理工大学公共政策研究院で研究活動に従事する呉璧君氏は、その論文で「カジノに従事する高校以下の学歴保持者は74・2%」とし、ディーラーなどのカジノ業従事者は、高等教育を受けていないにもかかわらず高い収入を得ていることを指摘している。金融業従事者との比較からも、呉氏は「ディーラーなどは収入としては中産階級に属するが、果たして本当の意味で中産階級といえるのか」と疑問を投げる。

3つ目は進学意欲の喪失と、それがもたらす人材競争力の喪失だ。高学歴でなくても高い報酬が得られるため、マカオでは高校卒業後、あるいは中途退学をしてカジノ業界に進む若者が多いのだ。ディーラーについていえば、雇用保護の観点からマカオ住民でなければ就業できないことになっており、またそのハードルも比較的低く設定されている。こうした雇用促進が、却って新たな問題を生み、マカオでは近年、若者の人材競争力の低下が危惧されるようになった。

さらなるリスクは「再就職の困難」だ。マカオや中国のカジノ研究者の間では「カジノ業界の従事者はつぶしが利かない」とする懸念が上がっている。仮に失業した場合、ディーラーなどの仕事経験は他に応用が利かず、再就職が困難になる可能性が高いというのだ。

そしてコロナ禍の現在、マカオはこのリスクに直面している。家族全員がカジノ業に従事している家庭が、自宅待機で仕事ができない状況が続いたらどうなるだろうか。また、カジノ事業者がリスクを最小化するために機械化を進めたとしたら、たちまち失業者たちが露頭に迷うことになる。

筆者はマカオから香港に戻るバスターミナルで、多くの若者が警備員として働いている姿を見た。バスの駐車場では若者が切符もぎをしたり、何人もの若者が一列になってバス停までのルートを案内したりする光景を目にした。直進するだけで目の前のバス停にたどり着けるのに、これほどの案内係を投入する意味がどこにあるのだろうと、とても疑問に感じた。それは、産業が多元化せずに限定された就職先しかないマカオの現実なのかもしれない。同時に、そんなマカオの一体どこに若者が描ける夢があるのかと、とても心配になった。

上記はカジノに経済を依存するマカオの事例だが、ＩＲが立地する日本の3カ所では決して類似の現象を起こしてはならない。

アジアにはこうした多くの教訓があり、これを研究するだけでも日本は進むべき道を見出すことができる。しかし残念なことに、日本にはそれが伝えられていない。シンガポールのように、他の国やエリアの経験を徹底的に分析して成長戦略を描く国もある一方で、日本は長期ビジョンに立った展望や政策を国民に示すことができずにいる。

この世のパラダイスかのような演出をするマカオのＩＲ

カジノホテル近くの不動産屋。
自宅を担保にプレーする中国人も

最終章　東洋に共通する価値観を考える

東洋に共通する家族主義

コロナ禍で大陸の中国人が命拾いしたとしたら、その理由の1つは「家族」にあるといわれている。職を失い住むところを失っても、家族のもとに転がり込んで当座をしのぐことができた、というのだ。中国人の家族主義はよく耳にするところだが、これはとりわけ東アジアや東南アジア（以下東洋とする）などの中国語を話す人々の間で共有される思想でもある。

シンガポールの初代首相を務めた故リー・クアンユー（李光耀、1923〜2015年）氏の論文「李光耀論東西方文化与現代化」（2004年）には、欧米先進諸国（以下西洋とする）の価値観である「個人の自由」と東洋の価値観のコントラストが描かれている。同氏は、工業化、都市化、グローバル化が進む中で、シンガポールは核心的価値観を保持する必要があるとして、次のように主張している。

「最も重要な核心的価値観とは、君臣、父子、夫婦、兄弟、友人が負わなければならない権利と義務を規定する五倫関係（仁・義・礼・智・信）である。これは、子どもの世話と教育の責任を説き、親孝行、家族や友人への忠誠、質素で謙虚になること、一所懸命に学び、働き、成人したときには紳士になることを教えるものであり、これらの価値観は中国の文明を存続させ、他の古代文明が衰退する運命から中国文明を救うものである」

リー・クアンユー氏は１９７６年を皮切りに計33回も中国を訪問しているが、１９８０年代のシンガポールと中国の共通点を「（当時の中国の）人の動作や姿、話し方のトーンは東南アジアの華人と同じではないが、社会利益を家庭の利益に優先させ、家庭の利益を個人の利益より優先するという考えや、高齢者を尊重するという点で、互いの価値観は同じだった」と振り返っている。

同氏はこの論文で、家庭を社会の中核単位にし、社会的結束を強めることが東洋の文化の特徴であると主張しているが、他方、「五倫関係」については、例えば、国際社会では男女平等が進んでいるように、伝統的な価値観も現代社会に合うように調整することが必要だという柔軟な考え方も示している。確かに、こうした価値観も行き過ぎれば、支配・被支配の関係を強めてしまう欠点もあるため、常にバランスを取る努力が必要だ。

紀元前の中国で孔子は人倫の道を説き、武力を否定し、徳で以て世の中を治める徳治主義を広めた。のちに孔子の儒家思想を受け継いだ孟子が五倫関係を提唱する。四書五経は儒教の文献の中でも特に重要とされるもので、その中の『礼記《らいき》』は、周から漢の時代にかけて儒学者によって編纂された「礼」に関する書物だといわれている。そこには「まずは家を治めることだ」と書かれている。

「先ず其の家を斉《ととの》う。其の家を斉えんと欲する者は、先ず其の身を修《おさ》む。其の身を修めんと欲する者は、先ず其の心を正しくす。其の心を正しくせんと欲する者は、先ず其の意を誠にす。其の意を誠にせんと欲する者は、先ず其の知を致す。知を致すは物に格《いた》るに在り」

家を治めることができれば、国を治めることもできる、そのためには個人の心のありようを正す必要があるという思想である。社会の秩序を維持するには、家が最小の単位となり、最小の単位である家庭の中の個人がそれぞれに道徳的義務を果たせば、国家もまた平和的に治めることができる、ということなのだろう。

シンガポールは、多くの国がモデルとして注目している国家だといわれている。リー・クアンユー公共政策大学院研究員で、ブルッキングス研究所研究員でもあるパラグ・カンナ氏は著書『アジアの世紀』で「ロシア、オマーン、ドバイ、中国を含め、こんにちアジア中の政府がシンガポール政府を詳しく研究している」と記している。

そのシンガポールでは、「民主主義より先に、広い範囲での教育や研修を通じて高度な技術を身に着けた専門家が運営するテクノクラシー制度を導入したが、後に民主的な長所を結び付けるようになった」(同)という。先に自由や民主を輸入するのではなく、その土地にあった政治制度を培いながら、そこに民主を取り入れるという発想だ。アジアには、異なる文化を受け入れ、風土に合ったものに調和させる力があるということの示唆でもある。

西洋の文化の賜物と21世紀の逆説

現代社会では、民主主義が普遍的な価値を持つ制度だと考えられている。個人は平等であり、差別を受けることなく自らの幸福を自由に追求できる権利が尊重されている。人は平等だとする価値観は、それこそ西洋文化が与えてくれた人類普遍の崇高な価値観だといえる。

一方、この西洋の価値観が負っている課題を提起する人物がいる。同じくシンガポール国立大学リー・クアンユー公共政策学院の院長でもあり、前国連駐シンガポール代表のキショール・マブバニ氏だ。マブバニ氏はインド系シンガポール人としてシンガポールで生まれた。シンガポールはアジアの多民族国家であり、英語を公用語とすることで国民が西洋の文化を吸収した東西文化が融合する国家でもある。米国国務省や中国外交部のエリートたちと数年にわたり仕事をし、両国の長所短所を熟知した同氏のユニークな視点は、少なくとも米国と中国の2つの世界で注目されている。

マブバニ氏は著書『The New Asian Hemisphere』（２００８年）の中で、「インターナショナル・コミュニティとはあくまで西洋の価値観をシェアすることである」と、西洋偏重の国際社会の在り方に疑問を呈している。同著では、世界人口の12％に相当する西洋諸国の9億人が、残り56億人の運命を決定していること、世界人口の55％を占める東洋人がＩＭＦや世界銀行のボードメンバーにおいて不在であることが指摘されており、マブバニ氏は「21世紀の逆説は、世界で最も民主的な国々によって非民主的な世界秩序が続いていることだ」と述べている。

ここに面白い調査結果がある。英「エコノミスト」誌傘下のエコノミスト・インテリジェンス・ユニットの「民主主義指数」（２０１９年）によると、１６７の国とエリアのうち、「完全な民主主義」は20、「欠陥のある民主主義」は55、「混合政治体制」は39、「独裁政治体制」は53だという。

興味深いのは、「完全な民主主義」は１６７カ国のうちわずか12％にとどまっているということだ。欧州諸国のほか、ニュージーランド、オーストラリア、カナダなど西洋の国々が占めているが、「完全な民主主義」のもとで生活する人口はわずか４・５％足らずだ。他方、中国に強く民主化を働きかけるその筆頭の米国は「欠陥のある民主主義」に分類されている。「欠陥のある民主主義」は韓国、日本、米国の順でランキングされている。

シンガポールは「混合政治体制」に属しているが、同国以外にもタイ、インドネシア、フィリピンがこれに属している。そして中国は「独裁政治体制」に属しており、ベトナム、ラオス、カンボジアもここに分類されている。いずれも私たち日本人が経済的結びつきを強くし、日頃から親しくしている国々だ。

この調査結果が示唆するのは、確かに民主主義は「人類共通の理想」だとはいえ、その国の政治体制を一気に転換させることはできないということだ。歴史や風土、社会や経済の影響を受けながら、長期的に変化を遂げていくのだろう。一方、マブバニ氏は著書で次のように指摘している。

「西洋のマインドは不自由な中国の人々が幸福である可能性を考えることができない。西洋は自由をイデオロギー的に理解し、また自由は絶対的な美徳だと認識しており、〝半自由〟などとは馬鹿げていると思っている。自由は相対的であり、実際に多くの形態を取り得るという考えは、彼らにとって異質なのである。しかし、こんにちの中国人の生活を20～30年前と比較すると、彼らははるかに大きい自由に到達した」

中国を白か黒かでとらえるのではなく、時々刻々と変化するその変化のありようをとらえるべきだ――そんな示唆ではないだろうか。ちなみに、マブバニ氏はポストコロナの世界動向について、２０２０年3月20日発行の米外交専門誌「フォーリン・ポリシー」でこう述べている。

「新型コロナは、米国中心のグローバル化から中国中心のグローバル化という、すでに始まっている変化を加速させるだけである」

「譲り合い」の礼譲文化

古代中国には目上への敬意や若輩へのいたわりなど、人の道徳的義務を語る思想があった。権利を声高に主張するのではなく「礼」を重んじるのは、「礼」がなくなれば人と人の間に保たれていた秩序が失われ、世の中が乱れるからだ。人としての道徳的義務は現代の東アジア、東南アジアだけにとどまるものではない。インドやバングラデシュも同じだった。

筆者は、コルカタ出身で東京に在住するインド人ファミリーと親交があったが、彼らが重んじるのも目上への敬意であり、若輩へのいたわりだった。イスラム教を信じるダッカ在住の若い世代にも、こうした観念は共通していた。

「礼譲《れいじょう》」という言葉がある。日本語でも中国語（北京語）でもほぼ同じで、「礼儀正しくへりくだった態度」（大辞泉）を意味するが、簡単にいえば、「相手に譲る」ということだ。共産主義の影響を受けなかった台湾では、人々が生活の中で「礼儀正しさ」や「譲り合い」の礼譲文化を実践している。

筆者は、2019年に台湾を訪問した際にこんな経験をした。台北市の新光三越百貨店の地下飲食街を訪れたとき、満席のフードコートで、空席を探す筆者に席を譲ってくれたのは、なんと小学校低学年の兄弟だった。食事を終え、夢中でゲームを楽しんでいた兄弟が、背後に人の気配を察したのか、サッと立ち上がって席を譲ってくれたのである。小さな子どもに席を譲ってもらうなどは、人生で初めての経験だった。

翌朝、ホテルの部屋でテレビをつけると、3組の母娘がそれぞれに自慢話を競い合う番組を目にした。その中の1組の母親が、「うちは儒教や仏教の思想で子どもを育てました」と自慢げにコメントしたのには驚かされた。台湾では「三字経」や「弟子規」を子育てのバイブルにするお母さんは少なくないという。「弟子規」は、難解といわれる中国の古典「四書五経」を子ども向けに要約し編集したもので、人としての徳目や、親や祖先など目上の人への敬愛を説いている。

高雄市の新幹線駅のインフォメーションセンターでは、若い男女2人の担当者が同時に起立して迎えてくれた。無料案内所なのに席を立って迎えてくれる、この「礼」には感動した。台北に戻る列車では、車内販売のワゴン車を押す女性の対応が心にしみた。期待していた名物のお弁当は品切れだったが、「申し訳ございません」と謝る彼女の表情から伝わってきたのは、「がっかりさせてごめんなさい」という相手へのいたわりの気持ちだった。

台北の友人は、「自分を低くして相手を立てる、自分が我慢することで相手を喜ばせる――これを生活の中で実践することで、『今日はいいことをやった』という幸せな気持ちになれるのです」と話していた。

台湾の政治家を祖父に持ち、自ら儒学的研鑽を積む法律家の高居宏文氏はこう語っている。

「台湾での『儒学の精神』は、1949年の国共内戦を経て蔣介石とともに台湾に渡りました、儒学を学んだエリートたちがもたらしたといわれています」

台湾は、1895年に日清戦争の講和条約（下関条約）により清国から日本に割譲され、1945年の敗戦まで半世紀にわたり日本が統治したが、当時の台湾では日本の民間人を通して「生活の中の儒学の実践」を吸収したともいわれている。高居氏は「日本が台湾を統治した時代、『自分はへりくだり、相手を立てる』という社会秩序を維持するために最も必要な在り方を、日本人が無意識にも生活の中で示してくれたのです」と話している。

日本では、江戸時代を通して武家を中心に学問としての儒学が取り入れられ、その後、明治時代には儒学の忠孝思想が取り入れられた教育勅語が1890年に公布された。中国で生まれた儒学が日本に伝わり、日本で受容された儒学はさらに台湾に渡り、今なお人々の生活や行動規範に影響しているのは大変興味深いものがある。

近隣諸国は中国を慕うのか

毛沢東が推し進めた文化大革命（1966〜76年）によって、中国の伝統的な思想や価値観は破壊されてしまった。儒学思想もまた破壊の対象となった。しかしその後、1978年から始まった改革開放を経て、中国の価値観も大きく変わった。

中国の改革開放後に提唱された「中国の特色ある社会主義」は、マルクスレーニン主義、毛沢東思想に西側の資本主義的な市場経済概念を取り入れた中国共産党の公式思想だが、ここには政治、経済、思想文化、社会建設など多岐に及ぶ内容が、概念に基づき定義づけられている。『中国特色社会主義綱要』（上海人民出版社、2013年）には、「文化大革命の中で伝統文化は前代未聞の危機に遭遇したが、伝統文化の価値の方向性、行動モデル、思惟方式は中国の政治構造と国家制度を形成するうえで重要な役割を果たした。〈中略〉我々は、孔子から孫中山に至るこの貴重な遺産を継承しなくてはならない」とあり、現代の中国共産党が、儒学に見る伝統的価値観を肯定していることがわかる。

一方で、一定の警戒心も見せている。同著は「権力の膨張をもたらし、越権現象がもたらされる」と指摘し、「トップの力が強すぎると、民主を推し進めることが不十分になる」ことが権力の行使と政府の統治にもたらす問題だと捉え、政治体制改革を経て徐々にこれを解決するべきだとしている。図らずもここに書かれているように、中国は決して「民主化」を断念したわけではないことが見て取れ、また、上に立つ者に都合のいい解釈をさせないよう、バランスを取りながら、古代思想を取り入れようとしていることが伺えるのだ。

また、「西側においては権力に対する疑念の態度が、分権化された競争力ある政治システムの文化的基盤を築いた」と西洋の価値観についても言及する半面、「中国の伝統政治文化はこれとは異なり、信頼を基礎にしており、リーダーと導かれる者との間の信頼関係が、中国の民主集中制の政治制度モデルの文化的要素を作り出している」と主張している。

中国では、生活に余裕を持つ人が増えた2000年代以降に儒学思想や仏教への関心が高まった。現在もテレビやインターネットで、わかりやすく市民に解説する専門番組が普及しており、多くの国民がこれに関心を向けている。習近平国家主席ですら「弟子規」を勉強するよう呼び掛けた時期があった。だが、現政権の昨今の対外政策に目を向ければ、香港問題、南シナ海問題、中印国境問題など、世界をざわつかせている。これでは「徳目」という基本から大きく軸足がズレているのではないかと、ハラハラさせられる日々だ。

孔子が発した言葉に「近き者説《よろこ》び、遠き者来たる」という一句がある。小説家の井上靖氏が描いた『孔子』には、「近い者が喜び懐き、その噂を聞いて遠くの者が自然にやって来る。そのような政治ができたらそれが一番いい」――とある。周の武王、文王は人徳があったため、周りの人々が自然に近寄ってきたというが、その政治を「王道政治」とするならば、中国に身構える周辺諸国さえ存在する今の中国を見れば、それは「王道政治」ではなく「覇道政治」だといえる。ましてや中国の現政権は、インターネット上の庶民の日常会話ですらあまりに敏感で、少しでも政権に不都合な発言でもあればただちに封じ込めてしまう。徳を以て民を治めるといった度量のある政治からは程遠い。

前出のリー・クアンユー公共政策学院院長のキショール・マブバニ氏は2020年6月8日、米国の雑誌「The National Interest」のWeb版で、「中国共産党の主な目的は、世界規模で共産主義を復活させることではなく、世界最古の文明を復活させることだ」とコメントしている。

中国の文明といえば漢字がある。「仁」という字は、人偏《にんべん》に「二」と書くが、『孔子』（井上靖著）には、孔子の言葉としてこう書かれている。

「親子であれ、主従であれ、旅で出会った未知の間柄であれ、人間が二人、顔を合わせればその二人の間にはお互い守らなければならぬ規約とでもいったものが生まれてくる。それが仁というものである」

「信」については、人偏に「言」と書くが、「人間の口から出す言葉（言）は、真実でなければならない」という意味だ。

世界の四大文明の中の1つである中国文明だが、紀元前の周の時代には、のちに東アジア各国に大きな影響をもたらす思想哲学が生まれた。「礼」や「仁」、また「信」という漢字に込められたのは、これを失えば世の中が乱れ、逆にこれを重んじれば社会秩序は維持できるという儒学思想である。紀元前に生まれた古い思想ではあるが、今なお東アジアに共通する価値観であり続けているのだ。

中国の現政権が目指している「中華民族の復興」は、単なる内向きな愛国主義で終わるべきではない。西洋の価値観がフィットしないというならば、中国が行うべきは、中国古代の思想の中に、哲学的な深み、あるいは人類の普遍的価値を探求することではないだろうか。少なくとも、中国共産党の性格が時代とともに変化し、「人倫」と「ルール」を以て国を治める価値観を生み出せば、世界平和の維持に大きな貢献をもたらすはずだ。

儒学で子育てしたことを自慢する母親

台湾人の教育に浸透する儒学

あとがきにかえて

コロナ禍は時代の転換点をもたらした。コロナ禍は良くも悪くも、予定されていた「中国の時代」の到来をより早めることになった。筆者は、この流れにはもはや抗うことはできないと感じているが、本書ではその中国がどこに向かおうとしているのかについて考えた。

前半では、大混乱から早期復活し、これを契機に世界戦略を描く中国と、中国を徹底的に抑え込もうとする米国、そこでよりいっそう鮮明になった対立の先鋭化と、その根底にある「価値観の違い」をたどった。第1部では、中国政府の対策の遅れと巻き返し、それに伴って中国の国民の心理が時々刻々と変化する様子と、コロナ禍を機に世界に影響力を及ぼそうとする中国、そしてそれに対する先進国の反応をまとめた。

２０２０年12月1日、米国の感染者数は１３５４万人、死者は26万人に上った。要因は1つではないが、結果として米国が長年にわたって尊重してきた「個人の自由」が封じ込めを阻んだといえるだろう。中国の国民の中には「米国の自由・民主」に憧れを抱く人も多いが、２０２０年3月に入ってからの米国の混乱を見るにつけ、それが大きく揺らいだ。中国人が求めたのは「自由」以上に「生存」することの重要さだった。

一方で、西欧諸国で生まれた「民主」「自由」「平等」という価値観は、今でこそ世界の普遍的価値となったが、これを政治体制の中に取り入れ、理想の社会を築いている国は実は少ない。中国もかつて発展段階において欧米型の「民主」を深く検討したが、実現は困難だという壁にぶち当たった。政治体制は国の状況や歴史、風土、国民の思考と緊密に作用しあっており、簡単に入れ替えることはできないためだ。

とはいえ、中国は「民を主体にする」というあり方を放棄したわけではない。第2部では、中国なりの試行錯誤と、それを政治改革にどう結び付けるかの模索を取り上げ、同時に、新たな価値観と世界秩序を求める中国の、野心的な対外戦略について取り上げた。

「いずれ共産国家は消滅する」と思い込んでいた欧米諸国にとって、コロナ禍で中国が行った〝力の発揮〟は大誤算となった。米国はこうした中国への攻撃をさらに強め、5Gでデジタル覇権を握ろうとするファーウェイを骨抜きにしようと、戦術を高度化させた。先の大統領選では、バイデン氏が勝利を収めたが、誰がトップになろうとも、中国に対する基本的な政策は変わらず、両国の確執は長期化するだろう。

経済面において、米国が本気で中国を抑え込みたいと思うのは、中国が技術を掌握したという以上に、植民地支配を経て利権をほしいままにしてきた欧米社会に対する、中国の積年の恨みを見抜いているからだ。中国が目指すデジタル覇権の土台には、通信設備の中で使われるたかだか結束バンドの1本に「7ドル50セント」も払わされてきた屈辱がある。

これらのことから第3部では、台頭する中国が変える世界のビジネス環境についてまとめた。中国のデジタル覇権を後押しするのは、中国の全体主義だ。「社会のためなら個人は耐える」という国民の覚悟は、効果的なコロナ抑制を可能にするアプリ開発に結び付いた。

中国では、ウイルス封じ込めにおいて国民と政府の一致団結が示されたわけだが、これを可能にしたのは、中国の人々に今なお脈々と生きる「個人と家庭と国家がつながる」という中国古来の思想だろう。中国で生まれた儒教は日本や韓国を含む東アジア一帯に影響したが、儒学に現れるのは個人と社会の「対立」ではなく、むしろ「一体化」するという思想だ。中国の価値観は「個人の権利を声高に主張」する西側の価値観とは大きく異なる。

2020年11月、欧州で累計1000万人を超える感染者を出したことから、ドイツ、フランス、スペインなどが2度目のロックダウンに入った。このことは、人が生存するために必要な「公の連帯」と「戦時下の犠牲」を最優先にした中国と、コロナの感染拡大のみならず、暴力化する抗議活動も制御できない欧米諸国とのコントラストをより鮮明にするものとなった。米国では、コロナをきっかけに人種差別、格差問題が露呈し、大統領選挙では候補者同士ののしりあいと支持者の分断で、社会が大きく混乱した。

こうした状況を目の当たりにし、世の中国人たちはまたしても考え込むこととなった。ある中国人のブロガーは「西側諸国はことあるごとに中国の政治体制を批判してきたが、中国が仮に民主主義体制をとっていたら世界はもっと悲惨な事態になっていたのではないか」とつぶやいたが、もはやこのコメントを荒唐無稽だと一蹴することは難しくなってきた。

さらに本書では、コロナ前の現地取材の延長に、直近の香港やアジアの動向を上書きし、中国や中国資本の影響力の増大で、周辺国の人々の営みや経済活動がどのように変化しているのかについても目を向けた。

コロナ禍は日本のIR構想の進行にもストップをかけた。日本のIR構想では、カジノ利権の切り売りをめぐり、中国企業と政治家の癒着が露呈した。いずれにせよポストコロナでは、サプライチェーンの再編を含めて、中国企業との距離の取り方が大きな課題となるだろう。

最終章は「アジア的価値観」を思考した。世界制覇を意識する中国に「西側の価値観を重んじよ」といったところで耳を貸さないだろうが、ほしいままにさせていては周辺諸国に影響が及ぶ。だからこそ中国には、中国の文明から生まれた仁・義・礼・智・信という価値観の実践を期待したい。行き過ぎた解釈を行えば若輩を委縮させ、闊達な議論や前向きな改革を妨げることにもなりかねないが、儒学の本質に集中すれば、この中国の古代思想がもたらすのは「徳を以てする秩序の維持」であることがわかる。「中国の特色ある社会主義」が目指す「中華民族の復興」は、儒学思想の本質的な部分とリンクしていく可能性はゼロではない。

余談になるが、筆者は日本の大学への進学を目指す中国出身の若い人たちと日頃から交流を持っている。彼らの話に耳を傾けると、彼らの抱く「将来の夢」がだいぶ変化していることとに気づかされる。かつては「いつか経営者になる」という強い願望を持っていた彼らだが、親の世代がすでに富裕になったこともあり、金銭に直結する夢を抱く学生は減ったように感じるのだ。

「将来どういう自分になりたいのか」と質問するとA君は「優しい人になりたい」と言う。こんな反応は初めてだ。「それはどうして？」と訊ねると「日本のアニメ『ワンピース』を見てそう思うようになった」らしい。『ワンピース』は中国でも大ヒットしたが、冒険を通して人の勇気や真のやさしさを学んだという学生は実は少なくない。

日本のソフトパワーが中国人の若者に与える影響を見過ごすことはできない。来日の動機を訊ねれば、十中八九が「日本のアニメに影響されて」と答える。B君は「京都アニメーション（略称京アニ）」作品の大ファンで、あわよくば京アニに就職できないかと来日した。しかし、大火災とともにB君の夢は消える。その後のテレビ報道を仔細に追っていたB君が発見したのは、京アニに放火した容疑者が、医師や看護師のやさしさに触れて感謝の気持ちを抱くという微妙な心の変化だった。その後、B君は「弱者に寄り添えるような人になりたい」と福祉学部への進学を目指すようになった。

日本の美術系の大学院に進学したCさんは「自分に何が正しいことなのかを教えてくれたのが『ドラえもん』だった」と言う。大人たちは金銭価値ばかりを追い求め、国は強くなることばかりを追い求める。そんな社会環境の中で、若い世代は日本のアニメによりどころを見出していたのだ。2019年5月現在、日本には12万人の中国人留学生がいる。中には手をこまねく問題児もいるが、一人一人と向き合うと異なる中国人像が見えてくる。

21世紀は早くも20年が経過した。中国では沿海部の人々から富裕になり、「衣食足りて礼節を知る」という域に入った。世代交代も進み、情報化が進み、先進国への留学が珍しくなくなる中で、「何が正しいことなのか」を自分の力で考えようとする若者たちとの出会いに勇気づけられる。若い彼らには間違いなく日本のソフトパワーが影響している。そして私たち日本人の価値観も、知らないところで中国の儒学の影響を受けている。

2021年、中国共産党は創立100周年を迎える。1つの節目を迎える中国と、中国を中心とした国際情勢を見通す上で、本書が日々の報道を補足するひとつの材料となれば有難いことだと思う。

最後になったが、本書を出版するにあたり、愛知大学名誉教授の加々美光行先生には、ひとかたならぬお力添えを頂いた。議論の中で見解の相違があったとしても、それを十分に尊重して下さる研究者としての度量に、心からの敬服をお伝えしたいと思う。また、加々美先生からは、中国研究の専門書を数々出版されている集広舎代表の川端幸夫氏をご紹介頂いた。長年にわたる中国観察を持つ川端氏は筆者に多くの刺激を与えて下さった。また、著名なルポライターである麻生晴一郎氏が多忙を顧みず編集担当を買って出てくれ、グラフィックデザイナーの奥様である水緒氏とともに1月23日の発行に向けて奔走してくださった。武漢が封鎖された1月23日は、そこから世界の流れが大きく変わった転換点でもある。この出版を支えてくれた多くの取材協力者と友人、そして家族に心からの謝意を伝えたいと思う。

2021年1月　姫田小夏

◎著者紹介

姫田小夏（ひめだ・こなつ）

1967年生まれ、東京都出身。フリージャーナリスト。アジア・ビズ・フォーラム主宰。上海財経大学公共経済管理学院・行政管理学修士（MPA）。1990年代初頭から中国との往来を開始。上海と北京で日本人向けビジネス情報誌を創刊し、10年にわたり初代編集長を務める。約15年を上海で過ごしたのち帰国、現在は日中のビジネス環境の変化や中国とアジア周辺国の関わりを独自の視点で取材、「時事速報」、「ダイヤモンドオンライン」、「JBpress」、「日刊ゲンダイ」など多数の媒体で執筆活動を行っている。

著書　『中国で勝てる中小企業の人材戦略』（テン・ブックス）、
　　　『インバウンドの罠』（時事通信出版局）。

共著　『バングラデシュ成長企業 バングラデシュ成長企業と経営者の素顔』
　　　（カナリヤコミュニケーションズ）。

ポストコロナと中国の世界観

――覇道を行く中国に揺れる世界と日本

令和3年（2021年）1月23日　初版発行　定価：本体　1,600円＋税

著者　　　　姫田小夏

発行　　　　集広舎

　　　　　　〒812 0035　福岡市博多区中呉服町5番23号

　　　　　　電話 092-271-3767　FAX 092-272-2946

　　　　　　https://shukousha.com/

印刷・製本　モリモト印刷株式会社

組版・装丁　Asia Commons亜洲市民之道

ISBN 978-4-86735-005-8 C0036